CW00524090

Die

GRILL BIBEL

Smoker Kochbuch

zarte & saftige Grillrezepte, um ein Grillmeister zu werden | Entdecken Sie das Geheimnis des perfekten Texas BBQ und begeistern Sie Ihre Gäste

PITMASTER ACADEMY

INHALTSVERZEICHNIS

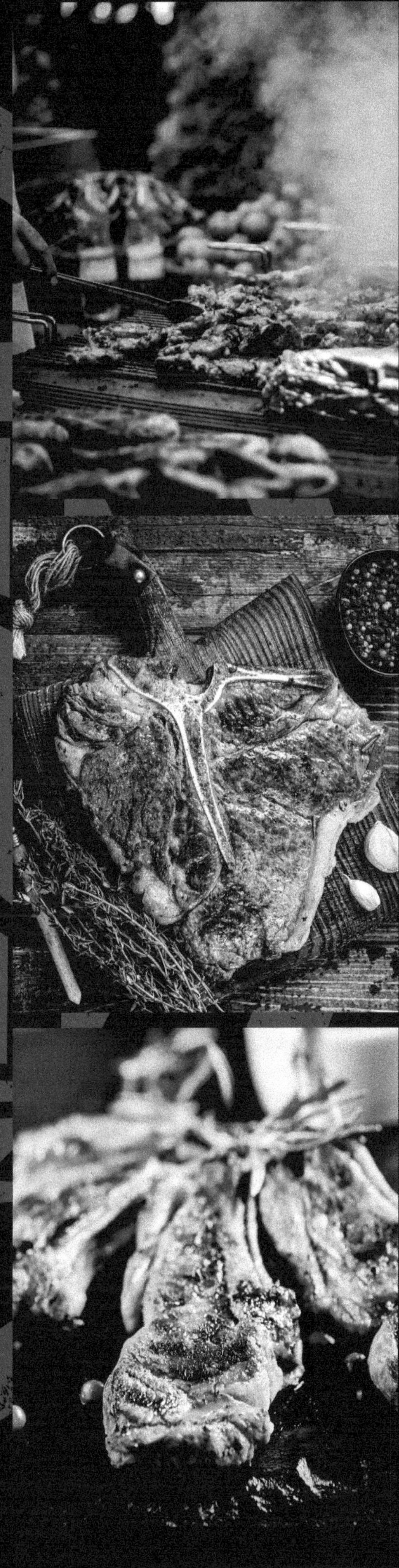

Einführung

Eine Grillparty im Garten mit Freunden, Nachbarn und Bekannten ist doch eine schöne Sache, oder? Wenn Sie Gäste haben, sind ein Smoker-Grill und einige gegrillte und geräucherte Speisen eine gute Idee. So können Sie in einer Sommernacht für köstliche Speisen und einen romantischen Moment sorgen.

Die Einführung von Pelletgrills könnte die Art und Weise, wie wir Essen zubereiten, dauerhaft verändern. Heutzutage kann jeder einen Pelletgrill kaufen, da die Unternehmen auf die Bedürfnisse von Kunden aus allen Gesellschaftsschichten eingehen. Dank der modernen Pelletgrills wird das Kochen zum Vergnügen und bequem.

Die einfachen Anweisungen und die Möglichkeit, die Temperaturen per Fernzugriff zu überprüfen und zu ändern, tragen dazu bei, Unsicherheiten zu beseitigen.

Ein Holzpelletgrill kann schnell zu einem der wichtigsten Werkzeuge werden, die Sie kaufen können, um köstliche Mahlzeiten mit viel weniger Arbeit zuzubereiten, egal ob Sie ein Hobbykoch sind, der ein Barbecue im Garten veranstaltet, oder ein Pitmaster bei einem Grillwettbewerb.

Ursprünglich wurde das Rauchen als eine Art Kunst bezeichnet. Jeder Enthusiast kann die Grundlagen und fortgeschrittenen Fertigkeiten mit beharrlicher Arbeit leicht erlernen. Es wird auch behauptet, dass man, wenn man seine Räucherkenntnisse einmal perfektioniert hat, nicht mehr daran denkt, andere kulinarische Methoden zu beherrschen.

Sie können Hunderte von wunderbaren Rezepten mit einem Holzpellet-Räuchergrill ausprobieren! Es liegt an Ihnen, zu experimentieren, Verbesserungen vorzunehmen oder eigene Rezepte zu kreieren. Das Verfahren ist schnell und einfach. Bleiben Sie aber auf jeden Fall bei den bewährten Methoden, wenn Sie auf Nummer sicher gehen wollen. Diese Rezepte haben den Ruf, sehr schmackhaft und zuverlässig zu sein. Ihr Wettbewerbsvorteil besteht darin, dass Sie beim ersten Mal und jedes Mal den richtigen Eindruck hinterlassen und dabei auch noch köstlich essen.

Die einfache Zubereitung dieser Rezepte und das Fehlen kulinarischer Vorkenntnisse machen sie zu einem weiteren erstaunlichen Produkt. Mit diesen Rezepten können Sie im Handumdrehen köstliche Gerichte zubereiten, wenn Sie die richtigen Zutaten haben und ein paar einfache Schritte befolgen.

Probieren Sie diese Rezepte aus, um sie zu verbreiten! Dieses Rezeptbuch für einen Holzpellet-Räuchergrill wird zweifellos ein unbezahlbares Geschenk für Ihre Lieben sein!

Sie müssen nicht länger im Internet nach Ihren bevorzugten Holzpellet-Räucher- und Grillrezepten suchen. Dieses Buch ist eine All-in-One-Ressource, um Ihre Suche nach den idealen Holzpellet-Räucher- und Grillrezepten für Sie und Ihre Lieben zu beenden.

DER HOLZPELLET-RAUCHER & GRILL

Wie es funktioniert

Der Holzpelletgrill wird mit Strom betrieben. Der Trichter wird mit einer bestimmten Menge an Holzpellets gefüllt, die über eine sich drehende Schnecke nach unten fallen.

Die erforderliche Temperatur, die über ein Bedienfeld festgelegt wird, bestimmt, wie schnell oder langsam die sich drehende Schnecke die erforderliche Anzahl von Pelletkörnern in den Feuerbereich befördert. Ein rotglühender Stab zündet die Pellets an, nachdem sie in den Feuertopf gegeben wurden, und entfacht die Flammen. Anschließend sorgt ein Gebläse für einen milden Luftstrom über dem Feuerbereich, wodurch eine ofenähnliche Konvektionswärme entsteht, die Ihr Essen gleichmäßig und schonend gart. Über dem Feuertopf befindet sich eine Tropfschale, die Sie von der direkten Flammeneinwirkung fernhält. Außerdem wird jedes nachfolgende Leck in dieser Schale aufgefangen, um ein ungewolltes Aufflammen zu vermeiden.

Indirektes Grillen ist eine Technik, die häufig mit alten Holzkohle- und Holzräucheröfen verwendet wird. Aufgrund dieser Ähnlichkeit und der Tatsache, dass Holzpellets den Speisen einen rauchigen Geschmack verleihen, sind viele Nutzer schon früh auf Holzpelletgrills umgestiegen. Es ist ein einfacher Ersatz für herkömmliche Räuchergeräte. Einige Pelletgrillgeräte verfügen über eine integrierte Wi-Fi-Steuerung, mit der Sie den Grill aus der Ferne überwachen können.

Die Designtechniken, die zur Herstellung von Holzpellet-Räuchergrills verwendet werden, sind nicht neu. Allerdings sorgen die Grills auf dem Grillmarkt für Aufsehen. Die Menschen wollen wissen, ob die Verwendung dieser Grills sicher ist. Ja, Holzpellets in Lebensmittelqualität sind bei der Zubereitung von Speisen nicht riskanter als jede andere Option.

Wärmekontrolle

Die Energiemenge, die das brennende Feuer verbraucht, und die Gleichmäßigkeit des Luftstroms spielen eine wichtige Rolle dabei, wie viel Wärme der Holzpelletgrill erzeugt. Im Gegensatz zu anderen Grills arbeiten Smoker-Grills mit automatischer Luft- und Feuerzufuhr, was zu einer gleichmäßigen Hitzeentwicklung beiträgt.

Dazu wird die gewünschte Heizstufe des automatischen Heizsystems eingestellt. Der Feuertopf wird dann durch eine motorisierte Schnecke mit einigen Pellets versorgt. Je nach Grillhersteller zündet der Zündstab die Holzpellets an und verändert die Feuerrate, um den Grill auf eine Öffnungstemperatur von 60° bis 82° Celsius zu erhitzen. Die gewünschte Temperatur wird durch Wiederholung des Arbeitszyklus erreicht, wenn das Feuer bereit ist. Ein Arbeitszyklus beginnt, wenn die rotierende Schnecke die Pellets in den Feuertopf befördert, und wird fortgesetzt, wenn sie ausgeschaltet wird und sich im Ruhezustand befindet.

Wenn sich die Schnecke wieder einschaltet, ist die Betriebszeit beendet. Ein auf 122 °C eingestellter Holzpelletgrill hat beispielsweise eine aktive Phase von 12 Sekunden, gefolgt von einer 40-sekündigen Ruhephase. Eine Betriebsphase ist eine Zeit, in der die Förderschnecke in Betrieb ist. Die Schnecke führt eine volle Umdrehung aus, sobald sie eingeschaltet ist. Die Schnecke ist nur zu 50 % dieser Zeit eingeschaltet und erhält eine 50 %ige Einschaltfolge. Jede Heiztemperatur führt zu einem anderen Arbeitszyklus. Die Dauer der aktiven Schnecke bleibt konstant, unabhängig von der angewandten Wärmemenge. Die einzige Zeit, die sich ändert, ist die Zeit, in der die Schnecke ausgeschaltet ist.

Holzpellets

Einige Pellets, die zum allgemeinen Heizen verwendet werden, können Weichholz und andere Holzreste (Rinde) enthalten, die dem Essen einen unangenehmen Geschmack verleihen und bei Verzehr giftig sein können. Pelletgrills hingegen werden mit Holzpellets in Lebensmittelqualität befeuert. Sie bestehen aus gepresstem Holzstaub und haben eine Länge von einem Zoll und eine Breite von einem Viertel Zoll. Der Holzstaub wird unter großer Hitze und hohem Druck gepresst. Dadurch wird die chemische Substanz Lignin, ein pflanzlicher Klebstoff, der natürlicherweise im Holz vorkommt, angeregt. Die einzigen Zusatzstoffe in den Holzpellets sind die pflanzlichen Öle, die hinzugefügt werden, um die Haftung zu unterstützen und den Geschmack zu verbessern. Die Pellets verbrennen gründlich und hinterlassen wenig bis keine Asche. Mesquite, Ahorn, Eiche, Erle, Kirsche, Hickory, Apfel und Pekannuss sind nur einige der produzierten Holzpelletsorten.

Wie die Wärmeverteilung in Pellet-Räuchergrills funktioniert

Der Hitzeschild des Feuerraums trägt dazu bei, die Wärme gleichmäßig an die beiden Seiten des Grills zu übertragen. Dadurch steigt die Luft auf und gelangt in die Kammer des Konvektionsgrills. Dann überträgt ein Sensor im Inneren des Grills in einem bemerkenswerten Rhythmus von 10 Mal pro Sekunde Daten elektronisch an den Bordcomputer. Die Steuerung ändert daraufhin den Luftstrom und das Pelletverteilungssystem, um die gewünschte Temperatur zu halten.

Der Vorteil von Holzpellet Räuchergrill

Das Grillen mit einem Pelletgrill ist ein neuartiges und unverwechselbares Erlebnis. Hartholzpellets verleihen dem Fleischprodukt einen echten holzigen, rauchigen Geschmack. Die neuen Pellet Smoker Grills erledigen diese Aufgabe selbstständig. Der Benutzer konfiguriert sie so, dass sie automatisch arbeiten.

Der wichtigste und auffälligste Unterschied besteht darin, dass ein Pelletgrill die Temperaturregelung und das Entspannen wesentlich komfortabler macht, da er dem Benutzer ein automatisches Luft- und Brennstoffzufuhrsystem bietet.

Denken Sie noch einmal nach, wenn Sie glauben, dass die Regelung der Gartemperatur in einem Smoker zu schwierig ist. Pelletgrills sind im Wesentlichen eine "Einstellen und Vergessen"-Methode des Grillens, da sie den Ärger und die Unruhe beseitigen, die herkömmliche Räuchergeräte erfordern.

Und als ob das noch nicht genug wäre, bieten Ihnen Pelletgrills noch mehr. Mit Ihrem neuen Pelletgrill können Sie jetzt ganz einfach eine Vielzahl von Zubereitungsalternativen kombinieren. Wenn Sie also grillen, backen oder rösten möchten, müssen Sie für jede Tätigkeit ein anderes Gerät kaufen.

Im Gegensatz zu Gas- oder Propangasgrills bieten Pelletgrills eine bessere Kontrolle. Sowohl Gas- als auch Pelletgrills bieten dem Outdoor-Koch eine einzigartige Reihe von nützlichen Funktionen. Wenn man jedoch genauer hinschaut, kann man einige bemerkenswerte Unterschiede feststellen. Gasgrills sind ideal für kulinarische Aufgaben, aber ihre unzureichende Isolierung funktioniert bei niedrigen Kochtemperaturen oft nicht gut. Es ist wichtig, ältere Modelle von Propangasgrills so einzustellen, dass sie die richtige Menge an Luftstrom erhalten. Schon deshalb sind sie für Räucherer schlecht geeignet. Der Pelletgrill ist in der heutigen Welt ein absolutes Muss!

Mit Pelletgrills hat der Koch Zugang zu zusätzlichen Geschmackskombinationen. Die in Pelletgrills verwendeten Holzpellets gibt es in verschiedenen Geschmacksrichtungen. Daher können Sie Ihren Pellet-

Smoker-Grill zum Garen aller Speisen verwenden. Sicher, beide kochen Ihr Essen, aber der Pelletgrill ist in vielerlei Hinsicht überlegen. Der Pellet Smoker Grill ist für mich die einzige Option!

Danach müssen Sie sich entscheiden, ob Sie einen Pelletgrill verwenden oder bei der beliebten Holzkohle-Grilltechnik bleiben wollen.

Holzkohlegrills gelten seit langem als die absolut beste Art, im Freien zu grillen. Es gibt verschiedene Gestaltungsmöglichkeiten für Holzkohlegrills, aber nur zwei Brennstoffoptionen: Holzkohle oder Holzkohlebriketts. Das Grillen mit Holzkohle ist zweifellos eine Arbeit, die viel Liebe erfordert. Es ist in Ordnung, dass einige Personen, die ich kenne, große Anstrengungen unternehmen, um sie zu schützen. Wir sind alle einzigartig, und das ist auch gut so. Die Verwendung eines Holzkohlegrills zum Kochen ist jedoch nicht so einfach. Um alle Komponenten perfekt aufeinander abzustimmen, ist viel Erfahrung erforderlich, und das Temperaturmanagement ist eine Herausforderung.

Pelletgrills können sowohl zum Grillen als auch zum Räuchern verwendet werden, was den Prozess erheblich vereinfacht. Aus diesem Grund haben sie sich zum Verkaufsschlager im Land entwickelt. Auch was die Sauberkeit angeht, sind die beiden Methoden nicht zu vergleichen. Mit dem Pelletgrill werden Sie keine Probleme haben. Es ist sehr einfach, ihn jedes Mal zu reinigen, wenn Sie ihn benutzen. Klassische Grills hingegen erfordern viel Arbeit, und in manchen Fällen müssen Sie sie wirklich wegwerfen und neue kaufen.

Ein Vergleich zwischen dem etablierten Elektrosmoker, der auf dem Markt für Hinterhofkocher weit verbreitet ist, und den Pellet-Smoker-Grills wäre eine weitere Überlegung wert. Die heutigen Elektroräucher sind moderne Varianten der klassischen Räuchergeräte und bieten eine Vielzahl von Steuerungsmöglichkeiten. Um optimale Ergebnisse zu erzielen, erhitzen Elektroräucherer Holzspäne. Sie sind sehr bequem zu bedienen und ermöglichen es dem Koch in Ihrer Familie, das Gerät einzustellen und zu vergessen. Problematisch wird es, wenn Sie grillen und anbraten müssen. Dafür braucht man sehr hohe Temperaturen, oft zwischen 230 und 280 Grad. Die gute Nachricht ist, dass Elektroräuchergeräte für die meisten kulinarischen Aufgaben hohe Temperaturen erreichen können.

Räuchern vs. Grillen

Der Hauptunterschied zwischen Smokern und Grills liegt in der Gartemperatur der Mahlzeit. Ein Grill gart das Essen bei 150 Grad oder mehr, während ein Smoker es bei einer niedrigeren Temperatur (etwa 105 Grad) gart. Dies ist entscheidend, weil das Metall eines Grills widerstandsfähiger sein muss als das Metall eines Smokers, der bei niedrigeren Temperaturen hohe Hitze entwickelt. Die hohe Hitze eines Grills kann das meiste Speiseöl verbrennen, das in der Brennkammer verbleibt, aber die niedrigere Hitze eines Smokers kann dies nicht erreichen, so dass das Fett zurückbleibt.

Die richtigen Pellets

Ein Holzpellet-Räucher und -Grill ist etwas Besonderes, weil er Holzpellets als Brennstoff verwendet. Holzpellets werden aus gepresstem Sägemehl von Kiefer, Birke, Tanne oder Pflanzenstängeln hergestellt. Holzpellets werden meist als Brennstoff für Pellet-Räuchergeräte und -Grills in der Gastronomie verwendet. Sie können aber auch zum Heizen verwendet werden. Aber die Geschmacksvielfalt von Holzpellets zum Kochen macht sie einzigartig. Apropos Geschmack: Hier ist ein kurzer Überblick über die Geschmacksrichtungen von Holzpellets für Sie:

- Apfel-Kirsch-Pellets: Der Geschmack dieser Pellets ist mild, süß und rauchig. Sie können den Geschmack von mildem Fleisch verbessern, der bei der Zubereitung von Schweinefleisch oder Geflügel oft bevorzugt wird. Diese Pellets sind recht empfindlich, obwohl sie einen ausgezeichneten Rauch erzeugen können.
- Erle-Pellets: Dieses besondere Pellet hat einen Hauch von Süße, ist aber ansonsten moderat und neutral. Diese Sorte ist die richtige Wahl, wenn Sie eine große Menge Rauch wünschen, ohne empfindliche Fleischsorten wie Fisch und Geflügel zu stark zu belasten.
- Hickory-Pellets: Hickory-Pellets sorgen für einen würzigen, rauchigen und speckigen Geschmack. Diese Pellets werden häufig zum Grillen verwendet. Diese Pellets können manchmal zu dick und rauchig sein und zu sehr aufdringlich wirken. In diesem Fall sollten Sie es mit Apfel- oder Eichenpellets kombinieren.
- Ahorn-Pellets: Ahornpellets sind die beste Wahl, wenn Sie etwas Moderates mit einem Hauch von Süße suchen. Sie eignen sich hervorragend für Schweinefleisch oder Geflügel.
- Mesquite-Pellets: Mesquite-Pellets sind wegen ihres kräftigen, würzigen und pikanten Geschmacks eine bevorzugte Alternative für das Texas Barbecue.
- Eichenholzpellets: Zwischen Apfel und Hickory liegen die Eichenpellets. Sie eignen sich hervorragend zum Garen von Fisch oder Gemüse, da sie etwas milder als letztere und etwas stärker als erstere sind.
- Pekannuss-Pellets: Ein Dauerbrenner ist Pecan. Ihr Geschmack erinnert an Hickory, hat aber einen Hauch von Vanille und nussige Untertöne. Pekannusspellets sind unglaublich ansprechend und für alle geeignet, was sie zu den idealen Pellets für Rinder und Hühner macht.

Wie sollte ein gutes Pellet aussehen?

Bei den Hunderten von verschiedenen Holzpellet-Varianten und -Marken kann es schwierig sein zu entscheiden, welche Marke Sie in Betracht ziehen sollen. Probieren Sie zumindest die drei bekanntesten Marken aus und bewerten Sie deren Leistung, wenn Sie unsicher sind, welche Marke Sie wählen sollen.

- Das Erscheinungsbild: Bei der Auswahl einer Holzpelletmarke sollte das Aussehen der Pellets an erster Stelle stehen. Wenn Sie eine Weile mit Holzpellets geheizt haben, können Sie die Qualität allein anhand des Aussehens bestimmen und beurteilen. Die Länge der Pellets sollte als erstes untersucht werden. Die Marken halten sich an festgelegte ANLEITUNG, so dass dieser Aspekt nicht wichtig ist. Sie müssen sich jedoch darüber im Klaren sein, dass bei Pelletbrennstoffen die Länge einen Einfluss auf die Leistung der Pellets hat. Ein weiterer wichtiger Punkt ist der Staub, den Sie in der Verpackung finden werden. Nach dem Öffnen des Sacks ist es üblich, Feinstaub zu entdecken. Wenn der Feinstaubanteil jedoch ungewöhnlich hoch ist, sind die Pellets wahrscheinlich von schlechter Qualität.

- Beschaffenheit: Ein weiterer Faktor ist die Beschaffenheit der Pellets. Holzpellets haben eine bestimmte Textur. Die Pellets sind von hoher Qualität, wenn sie sich glatt und glänzend anfühlen. Das Gleiche gilt, wenn die Pellets keine Brüche aufweisen. Schlecht sind Pellets, wenn sie eine übermäßige Oberflächenrauhigkeit oder merkwürdige Oberflächenrisse aufweisen. Falsche Pressverhältnisse und ein hoher Feuchtigkeitsgehalt in den Rohstoffen, aus denen die Pellets hergestellt werden, sind häufig die Ursache dafür.
- Geruch: Holzpellets werden hergestellt, indem sie in einem geschlossenen Raum hohen Temperaturen ausgesetzt werden. Das in der Biomasse enthaltene Lignin verbindet sich im Laufe des Prozesses mit anderen Stoffen, wodurch der Geruch von frisch verbranntem Holz entsteht. Wenn die Pellets unangenehm riechen, besteht ein hohes Risiko, dass sie nicht richtig behandelt wurden oder unreine Rohstoffe enthalten.

Ein weiteres Verfahren zur Beurteilung der Qualität von Holzpellets besteht darin, zu beobachten, wie sie auf Wasser reagieren und wie sie aussehen, beschaffen sind und duften. Einige Minuten sollten vergehen, während man eine Handvoll Pellets in einem Wasserbecken absetzen lässt. Die Qualität der Pellets lässt sich daran ablesen, wie schnell sie sich im Wasser auflösen und ausdehnen. Andererseits sind die Pellets von schlechter Qualität, wenn sie sich nach einigen Minuten nicht auflösen, sondern ausdehnen und starr werden.

Versuchen Sie abschließend, auch einige der Pellets zu verbrennen. Die Flamme von hochwertigen Holzpellets ist hell und braun. Wenn die Flamme hingegen schwarz ist, sind die Pellets von schlechter Qualität. Außerdem erzeugen hochwertige Pellets nur eine geringe Menge Asche; wenn die Pellets viele Reste hinterlassen, sind sie von schlechter Qualität.

Holz-Fleisch-Paarungstabelle

Geschmack	Rindfleisch	Schweinefleisch	Meeresfrüchte	Lamm	Wildfleisch
Apfel	X	X	X		
Erle		X		X	
Hickory	X	X		X	X
Mesquite	X	X	X		
Eiche		X		X	X
Pekannuss	X	X		X	X

Reinigung und Wartung

Die Geräte, darunter auch ein Grill-Smoker, müssen gepflegt werden, vor allem wenn Sie häufig rauchen und Ihre Ausrüstung lange halten soll. Drei ANLEITUNG für die Verwendung eines Smokers:

1. Ein fabrikneuer Smoker muss vor dem Gebrauch gewürzt werden

Die Innenseite des Smokers muss zunächst mit Speiseöl oder Speckfett bestrichen werden, um ihn zu würzen.

Wenn es erhitzt wird, dringt das Öl in jede Pore der Metalloberfläche des Smokers ein. Auf diese Weise wird eine rostverhindernde Barriere geschaffen.

Der Smoker muss auf eine Temperatur zwischen 120 und 130 Grad erhitzt werden. Vermeiden Sie es, diese Temperatur zu überschreiten, da dies die Farbe beschädigen könnte. Sie können Holzkohle verwenden, aber es ist besser, die Art von Brennstoff zu verwenden, die Sie zum Räuchern von Lebensmitteln verwenden wollen. Halten Sie den Smoker zwei bis drei Stunden lang auf dieser Temperatur.

Auch wenn in der Gebrauchsanweisung nicht ausdrücklich darauf hingewiesen wird, dass gewürzt werden muss, ist es besser, den Smoker einzuschalten, als gar nicht zu würzen, denn so werden alle bei der Herstellung verwendeten Chemikalien entfernt. Sie können dann sicher sein, dass Ihre Lebensmittel frei von Giftstoffen sind.

2. Ein Smoker muss gelegentlich repariert und neu gestrichen werden

Ihr Smoker muss manchmal gereinigt werden, auch wenn Sie ihn nicht oft benutzen. Die Reinigung mit einer Drahtbürste und Schleifpapier kann den gesamten Rost entfernen. Reinigen Sie ihn vollständig und streichen Sie ihn dann mit hitzebeständiger BBQ-Farbe neu. Wenn Sie ihn richtig pflegen, kann ein hochwertiger Smoker Jahrzehnte, wenn nicht sogar ein Leben lang halten. Denken Sie daran, dass der Zustand Ihres Smokers den Geschmack der Speisen beeinflusst, die Sie darin zubereiten. Daher ist eine regelmäßige Wartung von entscheidender Bedeutung.

3. Es muss nach jedem Gebrauch gereinigt werden

Um Ihren Smoker gut zu pflegen, müssen Sie regelmäßig die Asche entfernen und Lebensmittelablagerungen vermeiden. Auch wenn ein Smoker gelegentlich geschrubbt werden muss, darf die Schutzschicht nicht beschädigt werden. Sie sollten den Smoker also nie bis auf das blanke Metall abschrubben.

Wenn Sie das Gerät schon länger besitzen oder häufig benutzen, müssen Sie es vielleicht regelmäßig auswischen und würzen. Sie müssen die rauchige, fettige Oberfläche des Metalls in gutem Zustand halten, um Rost zu vermeiden.

Nach dem Gebrauch sollte die Asche niemals im Smoker verbleiben, da sich darin Wasser sammeln und Rost verursachen könnte. Große Fettablagerungen, die sich auf dem Metall festgesetzt haben, müssen vorsichtig abgekratzt werden. Ein gut gewarteter Smoker hält nicht nur länger, sondern verbessert auch den Geschmack Ihrer Mahlzeit.

TIPPS UND TRICKS

Kochtipps

Temperatur und Zeiten

Bei so vielen Rezepten, die Sie mit Ihrem Pelletgrill ausprobieren können, ist es leicht, sich sofort zu überfordern. Dabei ist zu bedenken, dass sich bei niedrigeren Temperaturen Rauch bildet, bei höheren jedoch nicht. Im Folgenden finden Sie nützliche Ratschläge, um die Temperatur und die Zeit zu bestimmen, die Sie benötigen, um stets gut gewürztes Fleisch zu erhalten.

- Die beste Art, Rinderbrust zuzubereiten, ist, sie bei 120°C auf der Rauchstufe mindestens 4 Stunden lang allein und weitere 4 Stunden mit Folie bedeckt zu garen.
- Die empfohlene Garzeit für Schweinerippchen beträgt 3 Stunden bei 135°C auf der Rauchstufe, gefolgt von weiteren 2-3 Stunden unter Folie.
- Die Steaks sollten bei 200-230°C für 10 Minuten auf jeder Seite gegart werden.
- Jedes Pfund Truthahn wird bei 190°C 20 Minuten lang gebraten. Die Temperatureinstellung für geräucherten Truthahn sollte bei ca. 80-100°C für 10-12 Stunden liegen oder bis die Innentemperatur 75°C erreicht.
- Die Garzeit für Hähnchenbrüste beträgt 15 Minuten auf jeder Seite bei 200-230°C.
- Ein ganzes Huhn gart bei 200-230°C für 1,5 Stunden oder bis die Innentemperatur 75°C erreicht.
- Speck und Würstchen können bei 220°C für 5-8 Minuten auf jeder Seite gegart werden.
- Die Garzeit für Hamburger bei 175°C sollte mindestens 8 Minuten auf jeder Seite betragen.
- Der Lachs kann eine bis eineinhalb Stunden geräuchert werden und dann auf jeder Seite zwei bis drei Minuten auf höchster Stufe gebraten werden.
- Die Garzeit für Garnelen beträgt 3-5 Minuten auf jeder Seite bei 200-230°C. Stellen Sie den Ofen für etwa 30 Minuten auf 100°C ein, wenn Sie einen rauchigeren Geschmack wünschen.

Schnittarten

Schweinefleisch

1. Kopf
2. Platte löschen
3. Rückenfett
4. Boston Hintern/Schulter
5. Lende/Kotelett
6. Schinken
7. Wange
8. Picknick-Schulter
9. Rippen
10. Speck/Bauch
11. Hock

Schweinefleisch ist zwar nicht mein Lieblingsfleisch, aber es könnte mein bestes sein. Ich habe schon stundenlang Rippchen und Schweineschultern für meinen Grill zubereitet. Schweinefleisch war ein fantastischer Ausgangspunkt, da ich oft große Versammlungen veranstalte, darunter ein jährliches Bad Santa-Spiel mit meinen rüpelhaften Highschool-Freunden.

Der Geschmack von Salz im Schweinefleisch ist unübersehbar. Obwohl es manchmal stört, macht der Fettgehalt von Schweinefleisch das Fleisch saftig und zart.

Ich erwähne oft, wie wunderbar Schweinefleisch mit süßen Aromen zusammenpasst. Kaufen Sie Honig aus der Region, um die örtlichen Imker, Bauern und Märkte zu unterstützen. Einheimischer Honig hat auch einen besseren Geschmack. Außerdem passt brauner Zucker wunderbar zu Schweinefleisch. Und jedes Mal, wenn ich einen Freund in Toronto besuche, halte ich auf dem Heimweg am Duty-Free-Laden an, um etwas kanadischen Ahornsirup für Gerichte mit Schweinefleisch zu besorgen.

Rippen

Ich verwende allgemeine Begriffe, wenn ich von Schweinerippchen, Spareribs und Babyrücken spreche. In beiden Fällen sollten Sie ein Stück mit einer beträchtlichen Menge an Fett wählen, das jedoch gleichmäßig verteilt sein sollte. Zu viel Fett, vor allem wenn es sich nur an bestimmten Stellen befindet, kann zu einem unappetitlichen, fettigen Biss führen.

Unsere Rippchen werden anders zubereitet als in einer Grillkette in Ihrer Gemeinde. Die Rippchen haben einen leichten Zug, bevor das Fleisch vom Knochen rutscht und abfällt. Kochen Sie sie etwas länger, wenn Sie möchten, dass sich das Fleisch vom Knochen löst.

Tipps und Techniken

Entfernen Sie die Membran. Rippen können durch die seltsame Membran auf der Rückseite der Rippen (auch als Silberhaut bekannt) weniger zart und schwieriger vom Knochen zu lösen sein. Entfernen Sie die Membran, um gleichbleibende Ergebnisse auf der Ebene des Pitmasters zu erzielen.

Senf als Klebstoff verwenden. Senf eignet sich gut als Bindemittel für das Einreiben von fettigen Lebensmitteln wie Rippchen. Verteilen Sie vor oder nach dem Einreiben etwas einfachen gelben oder glatten Senf auf den Rippchen. So bleibt die Einreibung auf dem Fleisch und verteilt sich nicht in der Auffangschale.

Für Ihre Schorle oder Ihren Wrap können Sie jedes beliebige Getränk verwenden (auch Bier oder Wein, aber keinen Alkohol). Ich fragte mich, warum, als ich sah, wie ein Koch des Wettbewerbs Rippchen mit Mountain Dew zubereitete. Er sagte: "Mein Bruder und ich haben einfach damit angefangen, weil wir das mögen und haben". Ich verwende Pepsi; mein Vater und mein Bruder verwenden Apfelsaft. Nimm das, was du magst, sieh dir an, was andere Pitmasters verwenden, und probiere es zur Abwechslung mal aus. Das ist ein großartiger Ort zum Experimentieren.

Sauce - nur nicht übertreiben. Auch hier ist die Soße eine echte Vorliebe. Auf Partys serviere ich normalerweise einen Teller mit trocken geriebenen Rippchen. Meine Rippchen sind im Laufe der Jahre von trocken zu ausgiebig gesalzen übergegangen, und jetzt verwende ich einfach eine dünne süße Schicht. Wir haben auch verschiedene Methoden, um die Süße zu erreichen, wie Sie in den Rezepten sehen können.

Schweineschulter

Pitmasters sind große Fans von Pulled Pork. Es ist nicht nur bequem und praktisch, sondern ergibt auch meist noch Reste für mehrere Tage. Sliders, Nachos und Sandwiches sind alles Variationen von Pulled Pork, die in den nächsten zwei oder drei Tagen serviert werden. Eine große Schweineschulter könnte eine ganze Armee ernähren - oder zumindest eine Armee von Kindern, die gerade vom Baseball, Turnen oder Fußball zurück sind.

Bei der Auswahl der Schweineschulter, auch bekannt als Pork Butt oder Boston Butt, ist es unerheblich, ob Sie eine Schweineschulter mit oder ohne Knochen wählen. Manche Menschen behaupten, dass dies der Fall ist, aber das hängt von der Person ab. Achten Sie jedoch auf den Fettgehalt. Schweinefleisch braucht etwas Fett, um nicht auszutrocknen, aber zu viel kann zu fett werden, ähnlich wie bei Rippchen. Der Fettdeckel sollte weniger als 1 Zoll tief sein.

Tipps und Techniken

Die Schweineschulter kann für mehr Geschmack und Feuchtigkeit gespritzt werden. Injizieren Sie Ihre Schulter mit Tee. Die Rinde einer richtigen Schulter ist zwar angenehm und schmackhaft, aber durch die Injektion wird sie überall schmecken. Für eine schöne "Rinde" sollten Sie Ihr Fleisch länger räuchern. Die Rinde ist die köstliche Kruste auf der Außenseite von gut geräuchertem Fleisch. Sie bildet sich, wenn das Fleisch und der Rub über einen langen Zeitraum hinweg geräuchert werden. Eine schöne, schwarze Rinde ist ein Zeichen für eine hochwertige Schweineschulter. Räuchern Sie das Schweinefleisch länger und unbedeckt, damit sich mehr Rinde bildet.

Ziehen Sie das Fleisch mit den Händen; das ist einfach einfacher. Einige brandneue, lustige Krallen können zum Abziehen von Schweinefleisch verwendet werden. Ihre Hände werden davon nicht warm und fettig. Aber das Ziehen mit diesen Krallen scheint nie ganz richtig zu sein. Ich habe ein preiswertes Paar

Baumwollhandschuhe unter den Küchenhandschuhen. Mit den Handschuhen kann ich das Fleisch genau so abziehen, wie ich es möchte, und gleichzeitig verhindern sie, dass meine Hände verbrennen.

Filetstücke

Obwohl sie eine der einfachsten Räuchergrilltechniken benötigen, sind Schweinefilets immer spektakulär. Alle paar Wochen grille ich ein paar Filetstücke für meine Familie, und sie werden nie müde, sie zu essen. Filetstücke lassen sich gut auf dem Pelletgrill oder im Smoker zubereiten und sind immer saftig.

Der Fettgehalt ist bei der Auswahl der Filetstücke wichtig, wie bei den meisten Schweinefleischsorten. Ich bemühe mich, den Fettgehalt meiner Filetstücke niedrig zu halten. Ein Pelletgrill sorgt dafür, dass die Filets feucht bleiben und die ausgetrockneten Stellen definiert werden.

Tipps und Techniken

Um Zeit zu sparen, räuchern Sie sie einfach. Die Smoke-Einstellung des Pelletgrills bringt Ihr Fleisch hervorragend auf Temperatur und hält es dabei stets feucht.

Kehren Sie das Anbraten um. Normalerweise wird das Fleisch angebraten, bevor es vollständig gegart wird. Wir sprechen von einem umgekehrten Anbraten, wenn wir den Vorgang beenden, nachdem das Fleisch vollständig geräuchert ist. Verwenden Sie die offene Flamme Ihres Grills, z. B. den Flammengrill, wenn er über eine solche verfügt; wenn nicht, erhöhen Sie die Temperatur so hoch wie möglich. Die Filetstücke sollten geräuchert werden, bis sie eine Innentemperatur von 55°C bis 60°C erreichen. Dann werden sie auf jeder Seite 3 bis 5 Minuten bei höherer Temperatur gebraten, bis sie 145°C erreichen.

Schweinefilets eignen sich hervorragend zum Marinieren. In Teriyaki-Sauce mariniertes Schweinefilet hat einen köstlichen Geschmack und kann den Geschmack der Marinade in nur 30 Minuten aufnehmen.

Rindfleisch

1. **Nacken**
2. **Chuck**
3. **Rippe**
4. **Kurze Lende**
5. **Lendenbraten**
6. **Rinderfilet**
7. **Lendenbraten**
8. **Steißkappe**
9. **Runde**
10. **Rinderbrust**
11. **Schulterscholle**
12. **Kurzer Teller**
13. **Flanke**

Wenn ich an Räuchern und Grillen denke, denke ich sofort an Rindfleisch: große Tri-Tip- und Brisket-Scheiben, Steaks vom Flammengrill. Glücklicherweise kann all dies dank moderner Grilltechnik auf einem Pelletgrill zubereitet werden.

Aber das ideale Brisket nach texanischer Art ist das, wonach so viele Pitmasters streben. Wir alle haben Stunden damit verbracht, die effektivsten Methoden zu finden, um dies zu erreichen: Wird es eingewickelt oder nicht? Fleischerpapier oder Folie? Wie lange sollte es dauern? Außerdem wollen wir Steaks, für die selbst der beste

Steakhausbesitzer bezahlen würde - Steaks mit dem Aroma von gebratenem Fleisch, das den Rauch, die Butter und das Feuer durchdringt. Wir streben danach, dies in unseren Hinterhöfen zu erreichen.

Wenn ich an Räuchern oder Grillen denke, denke ich daher an "Rindfleisch". Die Qualität von Rindfleisch macht die Auswahl einfacher. Darauf und auf einige andere Tipps, die Sie zu einem Meister der langsamen Fleischzubereitung machen, gehen wir hier ein.

Rinderbrust

Brisket ist meiner Erfahrung nach oft das beste und schwierigste Fleisch, das man auf einem Pelletgrill zubereiten kann. Viele Menschen beobachten ehrfürchtig das ideale Brisket, in der Hoffnung, dass es ihnen eines Tages gelingt, ein solches zuzubereiten. Diskussionen über Biege-, Zug- und ähnliche Tests sind in Foren an der Tagesordnung. Was ist falsch an dieser Art, über Brisket zu denken? Eigentlich ist es gar nicht so schwer, es zuzubereiten. Wie alles andere kann auch Brisket mit Zeit und Mühe gemeistert werden.

Bei der Auswahl des perfekten Bruststücks - mit intaktem Spitz- und Flachstück (das bei den meisten Metzgern getrennt wird) - kommt es darauf an, nicht zu viel Fett zu haben. Wenn Sie eine Rinderbrust mit einer riesigen Fettkappe kaufen, werden Sie sie einfach abhacken. Außerdem empfehle ich, das zusätzliche Geld in das beste Brisket zu investieren, das Sie finden können. Ein billiges Brisket kann ein zähes Brisket sein. Geben Sie das Geld für das beste Stück aus, denn Brisket ist von vornherein nicht billig.

Tipps und Techniken

Entfernen Sie den Fettdeckel. Das Fleisch wird nicht so schmackhaft, wenn Sie Ihre Rinderbrust räuchern, ohne die große Fettkappe zu entfernen. Schneiden Sie die Fettkappe mit einem Ausbeinmesser oder einem anderen geeigneten Werkzeug auf etwa 6 mm zu. Durch das Abschneiden der Fettkappe kann die Fettigkeit der Brust verringert werden, aber wenn Sie die Fettkappe teilweise aufbehalten, bleibt das Fleisch saftig.

Einwickeln. Niemals einpacken. Ihre Entscheidung. Sowohl Alufolie als auch Fleischerpapier können zum Einwickeln verwendet werden - auch hier ist es eine Frage der Vorliebe. Ich empfehle jedoch, mit dem Einwickeln zu warten, bis die Temperatur nach dem Aufstallen 75°C bis 80°C beträgt. Wenn Sie Ihr Fleisch zu früh einwickeln, wächst die Rinde nicht so stark, und Ihre Rinderbrust wird nicht so rauchig.

Verwenden Sie eine Wasserschale oder besprühen Sie das Fleisch, wenn Sie es nicht einwickeln wollen. Ihre Rinderbrust bleibt feucht, wenn Sie sie mit Flüssigkeit wie Apfelsaft oder einfachem Wasser besprühen. Wie bei jeder anderen Art des Grillens können Sie auch bei einem Pelletgrill eine Wasserwanne verwenden, aber achten Sie darauf, dass Sie das Wasser nicht verschütten. Setzen Sie einfach eine mit Wasser gefüllte Metallwanne in den Grill ein. Die Wasserwanne passt gut, wenn Sie eine flache Ablaufwanne haben.

7 Tipps, um ein grillmeister zu werden

Jeder Koch auf der Welt hat das Ziel, die Kunst des Räucherns von Lebensmitteln zu beherrschen. Jeder von uns muss sich an bestimmte Grundlagen und ANLEITUNG halten, um die Kunst des Räucherns von Lebensmitteln zu entwickeln.

Jetzt, wo Sie bereit sind, Ihren Smoker anzuzünden, können Sie loslegen. Hier sind einige Vorschläge, die Ihnen helfen, den gewünschten Geschmack zu erleben:

1. Konstante Wärme

Das Räuchern von Lebensmitteln erfordert eine niedrige Hitze und hält es für einige Stunden ruhig, damit der Rauch durch das Fleisch dringen kann. Um das Räuchererlebnis zu verbessern, ist es wichtig, die Hitze konstant zu halten. Dieses Verfahren kann recht einfach sein. Verwenden Sie einen Anzünder, um Ihre Kohlen auf eine Temperatur von etwa 120°C zu erhitzen. Wenn Sie kein Thermometer haben, ist es am einfachsten, die Temperatur zu überprüfen, indem Sie Ihre Handfläche über die Kohlen halten.

Es ist ganz einfach: Schichten Sie die Kohlen auf den Boden, legen Sie das Räucherholz dazu und legen Sie das Fleisch auf den Grill, direkt auf die gegenüberliegende Seite der verwendeten Kohlen. Wenn Sie die Temperatur gleich halten wollen, können Sie gelegentlich Kohlen nachlegen.

2. Räuchern von Fleisch braucht Geduld

Das Räuchern von Fleisch ist ein zeitaufwändiges Verfahren, das viele Stunden dauert. Das langsame Räuchern von Fleisch beispielsweise führt zu zarten Fleischstückchen, die ihren Geschmack und ihre Saftigkeit bewahren.

Es gibt verschiedene Arten von Fleisch. Jede Sorte braucht zwischen 5 und 7 Stunden, um richtig geräuchert zu werden. Vermeiden Sie es, während des Räucherns auf Ihr Essen zu schauen, es sei denn, Sie müssen zusätzliche Kohlen nachlegen, um die Temperatur zu regulieren oder die Wasserschale aufzufüllen.

3. Entscheiden Sie, ob Sie trocken oder nass räuchern möchten:

Beim Nassräuchern wird eine Pfanne mit Wasser und Holzkohle verwendet, um das Fleisch zu befeuchten und eine rauchige Umgebung zu schaffen. Sie können auch Fruchtsaft oder andere Hilfsmittel verwenden, um zusätzliche Aromen hinzuzufügen. Die köstliche Rinde, die beim Nassräuchern entsteht, wird von den Menschen sehr geschätzt.

4. Achten Sie darauf, das richtige Fleisch für Sie zu wählen

Nicht alle Fleischsorten können geräuchert werden; Hähnchen und Truthahn eignen sich gut, aber die Haut hält sich nicht, da der Räuchervorgang sehr lange dauert. Außerdem hilft Ihnen das Pökeln beim Räuchern.

5. Die Verwendung eines Reibers ist ein wesentlicher Bestandteil jedes Räucherprozesses

Die Zubereitung des Rubs vor dem Räuchern von Speisen ist entscheidend. Sie können etwa 100 g koscheres Salz mit 2 Teelöffeln Chiliflocken, 1 Esslöffel Zitronenpfeffer, 100 g braunen Zucker und 1 Esslöffel schwarzen Pfeffer mischen, um das ideale Rub herzustellen. Kurz vor dem Räuchern reiben Sie das Fleisch mit dieser Mischung ein.

6. **Wählen Sie das richtige Holz**

Sie sollten das Holz, das Sie zum Räuchern von Fleisch verwenden wollen, sorgfältig auswählen. Mit Apfelholz zum Beispiel erhalten Sie einen süßen und fruchtigen Rauch, der gut zu Schweinefleisch passt, während Hickoryholz eine hervorragende Wahl für rotes Fleisch wie Rippchen ist. Erlenholz passt gut zu Fisch, Huhn und anderem weißen Fleisch.

Pekannussholz brennt kühler als andere Holzarten und eignet sich daher besonders gut für Schweinebraten und Rinderbrust. Je nach Art des Fleisches und des gewünschten Geschmacks können Sie auch Kirsch- und Eichenholz sowie andere Lebensmittel verwenden.

7. **Die Bedeutung des Pökelns für den Räucherprozess:**

Das Pökeln von Fleisch verhindert, dass es während des Räucherns austrocknet. Die Proteine können durch das Salz in der Salzlake mehr Wasser absorbieren. Die Natrium- und Chloridionen dringen nämlich in das Eiweißgewebe ein, um die Feuchtigkeit zu binden. Es empfiehlt sich, das Fleisch vor dem Räuchern 10-12 Stunden in der Salzlake zu marinieren.

7 Tipps für den Anfang

1. Einweichen von Holzspänen

Sie müssen eingeweicht werden, damit die Holzspäne als Brennstoff zum Räuchern länger halten. Der Grund dafür ist, dass trockenes Holz, das schnell verbrennt, dem Räucherofen zusätzlichen Brennstoff zuführt, was zu trockenem Räucherfleisch führt. Bei kürzerem Räuchern ist es nicht notwendig, Holzspäne zu verwenden. Bereiten Sie die Holzspäne vor dem Räuchern vor, indem Sie sie mindestens 4 Stunden lang in Wasser einweichen. Lassen Sie die Späne dann abtropfen, decken Sie sie in Alufolie ein und verschließen Sie sie. Stechen Sie mit einem Zahnstocher oder einer Gabel Löcher in die Tüte mit den Holzspänen.

2. Smoker einstellen

Jede Art von Räucher entwickelt ihre eigene Gewohnheit. Für Räucherer, die Holz oder Holzkohle verwenden, zünden Sie die Hälfte der Briketts an und warten Sie, bis sie ihre Flamme verlieren. Dann fügen Sie die restlichen Holzkohle- und Holzspäne hinzu, falls Sie diese verwenden. Warten Sie, bis sie vollständig angezündet sind und Hitze abgeben, bevor Sie die Holzkohle wegschieben und das Fleisch auf die andere Seite des Grillrosts legen. Auf diese Weise wird das indirekte Räuchern des Fleisches bei geringer Hitze gewährleistet. Füllen Sie den Smoker weiter mit Holzkohle und/oder angefeuchteten Holzspänen.

Bei einem Gas-/Propan- oder Elektroräuchergerät schalten Sie es einfach nach den Anweisungen des Herstellers ein, geben eingeweichte Holzspäne in den Spänehalter und füllen den Wasserbehälter (falls vorhanden) mit Wasser. Um die Innentemperatur des Smokers im Auge zu behalten, verwenden Sie entweder den eingebauten Thermostat oder kaufen Sie einen separaten Thermostat. Legen Sie das Fleisch in den Smoker, wenn er die richtige Vorwärmtemperatur erreicht hat.

3. Auswahl des zu räuchernden Fleisches

Wählen Sie eine Fleischsorte, die einen guten Rauchgeschmack hat. Folgendes Fleisch eignet sich gut zum Räuchern.

Rindfleisch: Rippchen, Rinderbrust und Corned Beef.

Schweinefleisch: Spareribs, Braten, Schulter und Schinken.

Geflügel: ganze Hühner, ganze Puten und Großwildhühner.

Meeresfrüchte: Lachs, Jakobsmuscheln, Forelle und Hummer.

4. Vorbereitung des Fleisches

Garen Sie das Fleisch wie im Rezept angegeben. Gelegentlich wird das Fleisch auch nur mit dem Rub gewürzt, mariniert oder beides. Mit diesen Techniken wird geräuchertes Fleisch garantiert schmackhaft, zart und saftig.

Pökeln ist eine Behandlungsmöglichkeit für Schinken, Schwein oder Geflügel. Dabei wird das Fleisch in einen großen Wasserbehälter gegeben, nachdem die Solebestandteile aufgelöst wurden. Nachdem Sie es mindestens 8 Stunden lang eingeweicht haben, spülen Sie es gründlich ab und tupfen es trocken, bevor Sie mit dem Räuchern beginnen.

Behandeln Sie Rindfleisch oder Bruststücke mit einer Marinade, um den Geschmack zu verbessern. Es ist besser, das Fleisch tief einzuschneiden, damit die Marinade tief in das Fleisch einziehen kann. Das Fleisch sollte sofort abgetropft oder geräuchert werden.

Rubs werden häufig für Fleisch, Hühnchen oder Rippchen verwendet. Sie bestehen im Wesentlichen aus einer Mischung aus Salz und verschiedenen Gewürzen, die großzügig auf das Fleisch aufgetragen werden. Das Fleisch muss dann mindestens zwei Stunden oder länger ruhen, bevor es geräuchert wird.

Achten Sie darauf, dass das Fleisch vor dem Räuchern Zimmertemperatur hat. So wird das Fleisch gleichmäßig gegart und beendet den Räuchervorgang mit der richtigen Innentemperatur.

5. Einlegen von Fleisch in den Räucherschrank

Legen Sie das Fleisch nicht direkt überhitzt in den Smoker, denn der Hauptzweck des Räucherns ist das Garen von Fleisch bei niedrigen Temperaturen. Legen Sie das Fleisch auf die eine Seite des Smokers, den Brennstoff auf die andere, und lassen Sie das Fleisch garen.

Die Innentemperatur des Fleisches bestimmt, wie lange es geräuchert werden muss. Verwenden Sie dazu ein Fleischthermometer, das Sie in den Bereich des dicksten Fleisches halten. Auch die Größe des Fleisches hat Einfluss auf die Räucherdauer. In den Rezepten finden Sie die genaue Räucherzeit für Ihr Fleisch.

6. Fleisch begießen

In verschiedenen Rezepten wird das Fleisch mit einer dünnen Lösung, Soßen oder Marinaden bestrichen. Dieses Verfahren verbessert den Geschmack des Fleisches und trägt gleichzeitig dazu bei, die Feuchtigkeit während der Räucherphase zu bewahren. Lesen Sie das Rezept, um festzustellen, ob das Einpinseln erforderlich ist.

7. Fleisch herausnehmen

Nehmen Sie das Fleisch aus dem Räucherofen, wenn es die richtige Innentemperatur erreicht hat. Normalerweise sollte das Geflügel aus dem Räucherofen genommen werden, wenn die Innentemperatur 75 Grad erreicht hat. Die Innentemperatur von Rinderhackfleisch, Schinken und Schweinefleisch sollte 75 Grad betragen. Die Innentemperatur von Koteletts, Braten und Steaks beträgt 65 Grad.

TEXAS BRISKET GEHEIMNISSE

Brisket ist bekanntlich ein schwieriges Stück Rindfleisch, das es zu meistern gilt. Viele unerfahrene Pitmasters haben ein Brisket in ein Stück Dörrfleisch verwandelt. Aber lassen Sie sich von diesen Schauergeschichten nicht abschrecken. Nach 12 Stunden im Smoker gibt es kein besseres Ergebnis als ein saftiges, perfekt gegartes Brisket.

In diesem Leitfaden führen wir Sie durch jeden Schritt des Verfahrens, von der Auswahl des Bruststücks bis zum Zuschneiden, Garen und Kontrollieren des Feuers.

Egal, ob Sie schon einmal eine Rinderbrust geräuchert haben oder dies Ihr erstes Mal ist, es gibt eine Menge hervorragender Tipps.

So schneiden und würzen Sie Ihre Brisket

Der größte Nachteil von Brisket ist, dass es ein zähes Stück Rindfleisch ist. Das macht es ideal für das langsame Garen auf kleiner Flamme. Es gibt keine speziellen Rubs, Wischmops, Marinaden oder BBQ-Saucen, die für ein gutes Brisket sorgen.

Noch bevor Sie Ihren Smoker anwerfen, führen die Auswahl des idealen Bruststücks in der Metzgerei und die richtige Zubereitung zum Erfolg.

Wir empfehlen Ihnen, Ihren örtlichen Metzger zu fragen oder Geschäfte wie Costco oder Sams Club aufzusuchen, um Brisket zu bekommen.

Snake River Farms verkauft erstklassiges amerikanisches Wagyu-Brisket und liefert es in die gesamten angrenzenden Vereinigten Staaten, wenn Sie etwas Besonderes haben möchten.

Um die vollständige Kontrolle über das Schneiden zu haben, empfehlen wir den Kauf einer ganzen Packerbrust. Um sicherzustellen, dass der magere Teil genauso schnell gart wie der fettere Teil, sollten Sie versuchen, ein marmoriertes Fleisch und eine dicke Schale zu kaufen. Achten Sie außerdem auf zertifiziertes Angus-Rindfleisch, USDA Choice oder Prime Beef.

Wie man ein Bruststück trimmt

Wenn Sie wissen, wie Sie Ihre Rinderbrust schneiden, kommen Sie Ihrem Ziel sehr nahe. Hier sind einige wichtige Tipps:

- Verwenden Sie zum Schneiden der Brust ein gutes, schmales, gebogenes Ausbeinmesser.
- Wenn Sie das Fett nicht abschneiden, riskieren Sie einen zu fetten Geschmack, während Sie trockenes Fleisch bekommen, wenn Sie zu viel abschneiden. Versuchen Sie, etwa 1/4" Fett zu erhalten.
- Das Abschneiden der Brust ist viel einfacher, wenn sie noch kalt ist.
- Um zu verhindern, dass die dünneren Stücke zu schnell garen und eventuell anbrennen, entfernen Sie sie
- Die sehr dicke Borte wird sich beim Kochen nicht lösen, also entfernen Sie sie.
- Überlegen Sie, woher die Hitze kommt und wie Sie das Bruststück auf der Kochfläche positionieren werden. Etwas mehr Fett kann helfen, das Fleisch in heißeren Bereichen zu schützen.
- Das Trimmen ist nicht so wichtig wie eine anständige Form und das Belassen von etwa 1/4" Fett. Übung macht den Meister.

Barbecue-Rindsbraten-Rub

Die einzigen erlaubten Zutaten für ein richtiges Brisket-Rub nach texanischer Art sind gleiche Teile Salz und schwarzer Pfeffer. Mit dieser einfachen Methode erhalten Sie eine fantastische Borke, ohne den Geschmack des Fleisches zu sehr zu beeinträchtigen.
Stattdessen ziehen es die meisten Pitmasters vor, ein paar mehr zu verwenden. Für ihre Rinderbrust verwenden sie komplexe Einreibungen mit Paprika, Kreuzkümmel und Chilipulver. Mit ein wenig Paprika- und Knoblauchgewürz kann man es immer noch als Texas Brisket bezeichnen.

Der größte Fehler, den die Leute machen, ist die übermäßige Verwendung von Einreibungen. Um den Geschmack des Fleisches zur Geltung zu bringen, sollten Sie nur eine minimale Menge an Einreibung verwenden.
Achten Sie beim Auftragen der Mischung darauf, dass Sie sie gut durchschwenken, da das Salz auf den Boden sinken kann.
Reiben Sie die Ränder des Bruststücks mit der Hand ein und legen Sie sie wieder auf.
Damit das Fleisch gleichmäßiger gart, lassen Sie es eine Stunde lang auf Raumtemperatur kommen, bevor Sie es in den Räucherofen legen.

Am besten schneiden Sie das Bruststück am Abend vor dem Braten zu. Auf diese Weise können Sie die Stelle mit Salz einreiben und dem Salz genügend Zeit zum Einziehen geben. Das hat den zusätzlichen Vorteil, dass alles bereits vorbereitet ist und Sie sich darauf konzentrieren können, den Smoker rechtzeitig zu starten.

Der Kochvorgang

Die Techniken für die Zubereitung, das Räuchern und das Schneiden von Brisket können unabhängig davon angewendet werden, ob Sie einen Grill, einen Holzkohle-Räucherofen, einen Pellet-Grill oder einen Offset-Smoker verwenden.

Einlegen des Bruststücks in den Räucherofen

Viele Leute fragen sich, ob sie die Fettseite nach oben oder nach unten legen sollen. Es ist fraglich, wie groß der Unterschied wirklich ist, aber die richtige Methode hängt davon ab, wie Ihr Räucherofen eingestellt ist. Wir empfehlen, die Rinderbrust mit der Fettseite nach oben zu legen.
Je nach Räuchermaschine sollten Sie das Fleisch mit der Fettseite nach unten räuchern, damit der Muskel nicht zu sehr austrocknet, wenn die Hitze von unten kommt.
Bringen Sie den fettigeren Teil der Brust näher an die Flamme. Das zusätzliche Fett hilft bei der Isolierung.
Das flache Ende des Bruststücks sollte näher am Schornstein liegen. Um die Feuchtigkeit in der Garkammer zu erhalten und ein Anbrennen zu verhindern, sollten Sie immer eine Wasserpfanne verwenden.

Wie lange kochen

Ein erfahrener Grillmeister wird Ihnen auf die Frage, wie lange Sie eine Rinderbrust garen sollen, höhnisch antworten, dass Sie sie so lange braten sollen, bis sie zart ist.
Zwei Bruststücke vergleichbarer Größe können aufgrund verschiedener Variablen sehr unterschiedlich schnell garen.
Aber wie können wir abschätzen, wie lange unsere Rinderbrust geräuchert werden muss?

1 Stunde und 15 Minuten pro LB (0,45 kg) Bruststück bei 120°C (120°C) ist eine gute Faustregel, um abzuschätzen, wie lange ein Bruststück zum Garen braucht.

Zum Beispiel: 5 lb Brisket x 1,25 Stunden = 6 Stunden und 15 Minuten gekocht bei 120°C.

Umgang mit der Rinderbrust während des Kochens

Einige wichtige Tipps:

- Behalten Sie beim Garen Ihrer Rinderbrust den Räucherofen stets im Auge und versuchen Sie, die Temperatur konstant zu halten.
- Öffnen Sie nicht immer den Deckel, um nachzusehen, denn sonst gehen Hitze und Rauch verloren, und es ist nicht einfach, sie wiederherzustellen. Sie können ein kabelloses Thermometer mit zwei Messfühlern verwenden, um die Temperatur im Räucherofen und die Temperatur im Fleisch zu messen.
- Eine Sprühflasche mit Apfelsaft oder Apfelessig ist ein gutes Mittel, wenn Sie das Gefühl haben, dass das Fleisch zu sehr austrocknet.
- Versuchen Sie, den Sauerstoff nicht vollständig abzuschneiden, da dies ein "schmutziges Feuer" auslösen kann. Infolgedessen kann Kreosot, ein dickes, öliges Nebenprodukt des Feuers, entstehen, das den Speisen einen herben, übermäßigen Rauchgeschmack verleiht.
- Vermeiden Sie bei der Auswahl des Holzes für Ihr Brisket die Verwendung von grünem oder zu stark abgelagertem Holz. Eine ausgezeichnete Lösung ist Post Oak, ein Holz, das 9-12 Monate lang gelagert wurde.
- Sie sollten eine deutliche Hitze und wenig Rauch aus dem Smoker austreten sehen.
- Versuchen Sie, eine gleichmäßige Temperatur zu halten, aber geraten Sie nicht in Panik, wenn es bei Ihrer ersten Rinderbrust nicht perfekt klappt. Wer seinen Herd kennt und weiß, wie man das Feuer reguliert, braucht viel Übung.

Wie man die Feuchtigkeit des Bruststücks erhält

Die einfachste Methode, die Feuchtigkeit in der Brust zu halten, ist, eine Wasserschale in den Räucherofen zu stellen. Nach den ersten zwei bis drei Stunden beginnen Sie damit, die Rinderbrust alle halbe bis ganze Stunde mit Wasser, Apfelsaft, scharfer Soße oder Apfelessig zu besprühen. So bleibt sie feucht und brennt nicht an.
Manche Leute tränken das Fleisch mit einer Flüssigkeitskombination, aber das macht eine große Sauerei und kann die Rinde des Bruststücks beschädigen.

Einpacken der Rinderbrust

Das Einwickeln der Rinderbrust in Alufolie (die texanische Krücke) oder Fleischerpapier ist ein optionaler Schritt, der unter bestimmten Umständen nützlich sein kann.
Wenn Ihr Räucherofen zum Beispiel zu viel Rauch entwickelt, könnte das Einwickeln des Fleisches eine Lösung sein. Außerdem ist das Einwickeln nützlich, um die Garzeit zu verkürzen, die Feuchtigkeit zu speichern und das Fleisch schneller durchzubekommen.

Aber was ist ein "Stall"? Beim Garen eines größeren Fleischstücks bei niedrigen Temperaturen, wie z. B. Brust, steigt die Innentemperatur zunächst schnell an. Die Feuchtigkeit, die sich im Fleisch befindet, beginnt aus der Mitte zu entweichen und verdampft in der Mitte, während das Fleisch gart.

Sie haben zwei Möglichkeiten: Sie können Ihr Fleisch einpacken, oder Sie können es aussitzen.
Durch das Einwickeln des Stalls kann die Feuchtigkeit im Inneren der Folie oder des Fleischerpapiers gehalten werden.
Mit anderen Worten: Durch das Schmoren steigt die Innentemperatur des Fleisches schneller an, und das Ergebnis ist ein unglaublich saftiges und zartes Gericht.

Wann sollte man es einpacken? Über den besten Zeitpunkt für das Einwickeln von Rindfleisch sind sich die Grillgurus nicht ganz einig. Ich halte es für eine gute Idee, die Rinderbrust zu umhüllen, wenn eine der folgenden Situationen eingetreten ist:

1. Wenn ein Abwürgen auftritt oder wenn die Innentemperatur 75°C erreicht hat (je nachdem, was zuerst eintritt).
2. Nachdem sich eine dunkle Rinde gebildet hat

Normalerweise treten diese beiden Fälle nach etwa 4 Stunden auf, je nach Rauchtemperatur und anderen Variablen mehr oder weniger.

Fertigstellung des Brisket

Sie sollten Ihre Brust einwickeln, wenn sie eine gute Rinde gebildet hat, aber noch geschmeidig und biegsam ist.
Nach dem Einwickeln die Brust wieder auf 120°C bringen, bis sie durchgegart ist, d.h. wenn die Innentemperatur 90°-95°C erreicht. Mit etwas Erfahrung werden Sie lernen, den richtigen Garpunkt zu erkennen, indem Sie die Brust ansehen und anfassen.

In Scheiben schneiden

Lassen Sie das Bruststück 1 Stunde ruhen, nachdem Sie es aus dem Ofen genommen haben, bevor Sie es in Scheiben schneiden.
Zum richtigen Schneiden der Brust gehört das Schneiden quer zur Faser auf der flachen Seite, bis Sie die Spitze erreichen. Danach schneiden Sie gegen die Faser, nachdem Sie die Brust um 90 Grad gedreht haben.
Verwenden Sie ein 12-Zoll-Zackenmesser und vermeiden Sie es, die Rinde abzuschaben. Schneiden Sie das fetteste Stück auf die Dicke eines großen Bleistifts und das magerste auf die Dicke eines kleinen Bleistifts.
Lassen Sie die Brust ganz, wenn Sie sie nicht sofort verwenden, und schneiden Sie sie erst kurz vor dem Servieren zu, damit sie nicht austrocknet. Lagern Sie die gebratene Rinderbrust für einige Stunden in einer Kühlbox. Achten Sie darauf, dass sie in Fleischerpapier, Folie und schließlich in ein Handtuch eingewickelt ist.
Rinderbrust ist ein sehr unausgewogenes Stück Rindfleisch. In jedem Stück gibt es fette, magere, dicke und dünne Stellen. Das erklärt, warum es so lange dauern kann, es zu beherrschen.

Wie man sich organisiert

Es ist sehr schwierig für Sie, genau zu dem Zeitpunkt fertig zu sein, zu dem Sie das Abendessen servieren wollen.
Am besten versuchen Sie, das Fleisch mindestens eine Stunde vorher zuzubereiten. Wickeln Sie die Rinderbrust in Folie und ein altes Handtuch ein, sobald sie eine Temperatur von ca. 95°C erreicht hat, und stellen Sie sie dann in einen Bierkühler.

Eine ausgezeichnete Technik ist die Faux-Cambro-Technik, mit der Sie das Fleisch bis zu 3 Stunden aufbewahren können:

1. Gießen Sie etwas heißes Wasser in die Kühlbox, bevor das Fleisch gar ist, und schließen Sie den Deckel, damit sich das Wasser erwärmen kann.
2. Entfernen Sie das Wasser und legen Sie den Behälter mit einigen alten Handtüchern aus, um ihn im Falle eines Auslaufens zu isolieren.

WÜRZMITTEL & SAUCEN REZEPT

Klassische Kansas City BBQ-Sauce

Zubereitungszeit: 10 Minuten

Kochzeit: 15 Minuten

Portionen: 24

ZUTATEN:

- 60 g gelbe Zwiebel, fein gehackt
- 2 Esslöffel Wasser
- 2 Esslöffel Pflanzenöl
- 950 ml Ketchup
- 85 g brauner Zucker
- 3 Knoblauchzehen, fein gehackt
- 1 Esslöffel Apfelessig
- 1 Esslöffel Tomatenmark
- 1 Esslöffel Worcestershire-Sauce
- 1 Teelöffel flüssiger Hickoryrauch
- 1 Teelöffel gemahlener Senf

ANLEITUNG:

1. Die Zwiebel in eine Küchenmaschine geben und pulsieren, bis sie glatt ist. Nach der Zugabe des Wassers wird die Zwiebel noch einmal pulsiert.
2. Das Öl in einer mittelgroßen Pfanne erhitzen, dann die Zwiebel hinzufügen. Die weiteren Zutaten hinzufügen und gut mischen, wenn die Zwiebel gerade anfängt, weich zu werden.
3. Die Soße muss 15 Minuten lang kochen, wobei sie regelmäßig umgerührt wird.
4. Bevor Sie die Pfanne verwenden oder in ein Einmachglas füllen, nehmen Sie die Pfanne vom Herd und lassen Sie sie 30 Minuten lang abkühlen.

NÄHRWERTE: Kalorien: 799, Natrium: 595mg, Ballaststoffe: 8.6g, Fett: 52.7g, Kohlenhydrate: 74.9g, Protein: 10g

Steak-Soße

Zubereitungszeit: 5 Minuten

Kochzeit: 20 Minuten

Portionen: 100 g

ZUTATEN:

- 1 Esslöffel Malzessig
- 1/2 Teelöffel Salz
- 1/2 Teelöffel schwarzer Pfeffer
- 1 Esslöffel Tomatensauce
- 2 Esslöffel brauner Zucker
- 1 Teelöffel scharfe Pfeffersauce
- 2 Esslöffel Worcestershire-Sauce
- 2 Esslöffel Himbeerkonfitüre.

ANLEITUNG:

1. Heizen Sie Ihren Grill für indirektes Garen auf 65°C vor.
2. Stellen Sie einen Topf auf den Rost, geben Sie alle Zutaten hinein und lassen Sie sie aufkochen.
3. Die Temperatur des Smokers reduzieren und die Sauce 10 Minuten köcheln lassen, bis sie dickflüssig ist.

NÄHRWERTE: Kalorien: 65, Kohlenhydrate: 15,9g, Fett: 1,3g, Eiweiß: 2,1g

Bourbon-Whiskey-Sauce

Zubereitungszeit: 20 Minuten

Kochzeit: 25 Minuten

Portionen: 750 ml

ZUTATEN:

- 950 ml Ketchup
- 60 ml Worcestershire-Sauce
- 175 ml Bourbon Whiskey
- 80 ml Apfelessig
- 1/2 Zwiebel, gehackt
- 60 g Tomatenmark
- 2 Knoblauchzehen, gehackt
- 1/2 Teelöffel schwarzer Pfeffer
- 100 g brauner Zucker
- 1/2 Esslöffel Salz
- Scharfe Pfeffersauce nach Geschmack
- 1 Esslöffel Flüssigrauch-Aroma

ANLEITUNG:

1. Heizen Sie Ihren Grill für indirektes Garen auf 65°C vor.
2. Eine Kasserolle auf den Rost stellen und Whiskey, Knoblauch und Zwiebeln hinzufügen.
3. Köcheln lassen, bis die Zwiebel glasig ist. Dann die anderen Zutaten hinzufügen und die Temperatur auf Rauch einstellen. 20 Minuten lang köcheln lassen. Für eine glatte Sauce ein Sieb verwenden.

NÄHRWERTE: Kalorien: 107kcal, Kohlenhydrate: 16,6g, Fett: 1,8g, Eiweiß: 0,8g

Brisket nach texanischer Art Run

Zubereitungszeit: 5 Minuten

Kochzeit: 0 Minuten

Portionen: 1

ZUTATEN:

- 2 Teelöffel Zucker
- 2 Esslöffel koscheres Salz
- 2 Teelöffel Chilipulver
- 2 Esslöffel schwarzer Pfeffer
- 2 Esslöffel Cayennepfeffer
- 2 Esslöffel pulverisierter Knoblauch
- 2 Teelöffel gemahlener Kreuzkümmel
- 2 Esslöffel Zwiebelpulver
- 60 g Paprika, geräuchert

ANLEITUNG:

1. Geben Sie alle Zutaten in eine kleine Schüssel und vermengen Sie sie, bis sie gut vermischt sind.
2. In ein luftdichtes Glas oder einen Behälter füllen. An einem kühlen Ort aufbewahren.

NÄHRWERTE: Kalorien: 18kcal, Kohlenhydrate: 2g, Fett: 1g, Eiweiß: 0,6g

Schweinefleisch Dry Rub

Zubereitungszeit: 5 Minuten

Kochzeit: 0 Minuten

Portionen: 250 ml

ZUTATEN:

- 1 Esslöffel koscheres Salz
- 2 Esslöffel Angetriebene Zwiebeln
- 1 Esslöffel Cayennepfeffer
- 1 Teelöffel getrockneter Senf
- 60 g brauner Zucker
- 1 Esslöffel pulverisierter Knoblauch
- 1 Esslöffel Chilipulver
- 60 g geräucherter Paprika
- 2 Esslöffel schwarzer Pfeffer

ANLEITUNG:

1. Alle Zutaten in eine Schüssel geben.
2. In ein luftdicht verschlossenes Glas oder einen Behälter füllen.
3. An einem kühlen, trockenen Ort aufbewahren.

NÄHRWERTE: Kalorien: 16kcal, Kohlenhydrate: 3g, Fett: 0,9g, Eiweiß: 0,8g

Brown Sugar Rub

Zubereitungszeit: 10 Minuten

Kochzeit: 0 Minute

Portionen: 3 Esslöffel

ZUTATEN:

- 2 Esslöffel hellbrauner Zucker
- 1 Teelöffel grobes koscheres Salz
- 1 Teelöffel Knoblauchpulver
- 1 Teelöffel Zwiebelpulver
- 1 Teelöffel edelsüßes Paprikapulver
- 1/2 Teelöffel frisch gemahlener schwarzer Pfeffer
- 1/2 Teelöffel Cayennepfeffer
- 1/2 Teelöffel getrocknete Oreganoblätter
- 1/4 Teelöffel geräucherter Paprika

ANLEITUNG:

1. Brauner Zucker, Salz, Knoblauchpulver, Zwiebelpulver, süßes Paprikapulver, schwarzer Pfeffer, Cayennepfeffer, Oregano und geräuchertes Paprikapulver sollten in einem luftdichten Behälter oder Zip-Top-Beutel kombiniert werden.
2. Nach dem Verschließen des Behälters schütteln, damit sich alles gut verbindet. In einem luftdicht verschlossenen Gefäß können die Reste der Einreibung monatelang aufbewahrt werden.

NÄHRWERTE: Kalorien: 62, Kohlenhydrate: 15,9g, Fett: 0,3g, Eiweiß: 0,1g

Texas Barbeque Rub

Zubereitungszeit: 5 Minuten

Kochzeit: 0 Minuten

Portionen: 100 g

ZUTATEN:

- 1 Teelöffel Zucker
- 1 Esslöffel Gewürzsalz
- 1 Esslöffel schwarzer Pfeffer
- 1 Teelöffel Chilipulver
- 1 Esslöffel Zwiebelpulver
- 1 Esslöffel geräucherter Paprika
- 1 Teelöffel Zucker
- 1 Esslöffel pulverisierter Knoblauch

ANLEITUNG:

1. Alle Zutaten in eine Schüssel geben und gründlich vermischen.
2. In einem luftdicht verschlossenen Glas oder Behälter aufbewahren.

NÄHRWERTE: Kalorien: 22kcal, Kohlenhydrate: 2g, Fett: 0,2g, Eiweiß: 0,6g

Hühner-Marinade

Zubereitungszeit: 5 Minuten

Kochzeit: 0 Minuten

Portionen: 750 ml

ZUTATEN:

- halbierte Hühnerbrust (ohne Knochen und Haut)
- 1 Esslöffel scharfer brauner Senf
- 160 ml Sojasauce
- 1 Teelöffel pulverisierter Knoblauch
- 2 Esslöffel Flüssigrauch-Aroma
- 160 ml natives Olivenöl extra
- 160 ml Zitronensaft
- 2 Teelöffel schwarzer Pfeffer

ANLEITUNG:

1. Alle Zutaten in eine Schüssel geben.
2. Das Hähnchen in die Schüssel geben und etwa 3-4 Stunden im Kühlschrank marinieren lassen. Nehmen Sie das Huhn heraus und räuchern, grillen oder braten Sie es dann.

NÄHRWERTE: Kalorien: 507kcal, Kohlenhydrate: 46,6g, Fett: 41,8g, Eiweiß: 28g

Barbecue-Soße

Zubereitungszeit: 5 Minuten

Kochzeit: 0 Minuten

Portionen: 950 ml

ZUTATEN:

- 60 ml Wasser
- 60 ml Rotweinessig
- 1 Esslöffel Worcestershire-Sauce
- 1 Teelöffel Paprika
- 1 Teelöffel Salz
- 1 Esslöffel getrockneter Senf
- 1 Teelöffel schwarzer Pfeffer
- 250 ml Ketchup
- 250 ml brauner Zucker

ANLEITUNG:

1. Alle Zutaten nacheinander in einer Schüssel verarbeiten.
2. Verarbeiten, bis sie gleichmäßig vermischt sind.
3. Die Sauce in ein Glas mit geschlossenem Deckel füllen. Im Kühlschrank aufbewahren.

NÄHRWERTE: Kalorien: 43kcal, Kohlenhydrate: 10g, Fett: 0,3g, Eiweiß: 0,9g

Carolina Gold BBQ-Sauce

Zubereitungszeit: 5 Minuten

Kochzeit: 0 Minuten

Portionen: 950 ml

ZUTATEN:

- 250 ml gelber Senf
- 120 ml Apfelessig
- 60 ml Honig
- 1 Esslöffel dunkelbrauner Zucker
- 2 Teelöffel Worcestershire-Sauce
- 1 Teelöffel scharfe Sauce

ANLEITUNG:

1. Alle Zutaten in eine Schüssel geben und vermischen, bis sie gleichmäßig miteinander verbunden sind.

NÄHRWERTE: Kalorien: 126, Natrium: 97mg, Ballaststoffe: 1.3g, Fett: 2.7g, Kohlenhydrate: 22.8g, Eiweiß: 5. 3g

Teriyaki-Soße

Zubereitungszeit: 10 Minuten

Kochzeit: 0 Minuten

Portionen: 4

ZUTATEN:

- 160 ml Sojasauce
- 60 g Sherry
- 2 Esslöffel Zucker
- 1 Teelöffel gemahlener Ingwer
- 1 Knoblauchzehe, fein gehackt

ANLEITUNG:

1. Alle Komponenten sollten in einer kleinen Schüssel vermischt werden. Vor der Verwendung gründlich aufschlagen und die Mischung eine Stunde lang bei Raumtemperatur abkühlen lassen.
2. Geben Sie das Fleisch Ihrer Wahl in einen Plastikbeutel mit Reißverschluss. Geben Sie die Hälfte der Teriyaki-Sauce dazu und lassen Sie das Essen nicht länger als vierundzwanzig Stunden, aber nicht weniger als eine Stunde marinieren.

NÄHRWERTE: Kalorien: 899, Natrium: 341mg, Ballaststoffe: 4.9g, Fett: 49.9g, Kohlenhydrate: 99.6g, Protein: 12.7g

Thai-Chili-Sauce

Zubereitungszeit: 10 Minuten

Kochzeit: 0 Minuten

Portionen: 4

ZUTATEN:

- 250 ml Wasser
- 250 ml Reisessig
- 250 ml Zucker
- 2 Teelöffel frisch geriebener Ingwer
- 1 Teelöffel Knoblauch, fein gehackt
- 2 Teelöffel scharfe Chilischote, gehackt
- 2 Teelöffel Ketchup
- 2 Teelöffel Speisestärke

ANLEITUNG:

1. Wasser und Essig in einem mittelgroßen Topf verrühren. Zucker, Ingwer, Knoblauch, Chilipfeffer und Ketchup hinzufügen, nachdem man es zum Kochen gebracht hat.
2. Nach fünf Minuten bei mittlerer Hitze die Maisstärke hinzufügen.
3. Nehmen Sie die Pfanne vor der Verwendung oder Aufbewahrung vom Herd und lassen Sie sie vollständig abkühlen.

NÄHRWERTE: Kalorien: 761, Natrium: 54mg, Ballaststoffe: 3,1g, Fett: 36,1g, Kohlenhydrate: 105,1g, Eiweiß: 3,9g.

Einfaches Jerk-Gewürz

Zubereitungszeit: 10 Minuten

Kochzeit: 0 Minuten

Portionen: 1

ZUTATEN:

- 2 Esslöffel getrocknete gehackte Zwiebel
- 2 und ein halber Teelöffel getrockneter Thymian
- 2 Teelöffel gemahlener Piment
- 1/2 Teelöffel Cayennepfeffer
- 1/2 Teelöffel Salze
- 2 Esslöffel Pflanzenöl
- 2 Teelöffel gemahlener schwarzer Pfeffer
- 1/2 Teelöffel gemahlener Zimt

ANLEITUNG:

1. In einer kleinen Schüssel Thymian, Salz, getrocknete Zwiebel, Piment, Cayennepfeffer und Zimt vermischen. Das Fleisch mit dem Gewürz einreiben, nachdem es leicht mit Öl bestrichen wurde.

NÄHRWERTE: Kalorien: 43kcal, Kohlenhydrate: 10g, Fett: 0,3g, Eiweiß: 0,9g

Knoblauch-Salz-Schweinefleisch-Rub

Zubereitungszeit: 5 Minuten

Kochzeit: 0 Minuten

Portionen: 8

ZUTATEN:

- 8 Knoblauchzehen (gehackt)
- 1 Esslöffel schwarzer Pfeffer
- 1 Esslöffel Paprika
- 1 Esslöffel brauner Zucker
- 1 Esslöffel grobes Meersalz

ANLEITUNG:

1. Geben Sie einfach alle Zutaten in einen luftdichten Behälter, mischen Sie sie gut durch und schrauben Sie dann den Deckel auf.
2. Innerhalb von 6 Monaten verwenden.

NÄHRWERTE: Kalorien: 20, Kohlenhydrate: 5g, Eiweiß: 1g

Geräuchertes Büffelhühnchen Gewürzmischung

Zubereitungszeit: 25 Minuten

Kochzeit: 0 Minuten

Portionen: 8

ZUTATEN:

- 2-3 Esslöffel Pflanzenöl
- 2 Esslöffel Zwiebelpulver
- 2 Esslöffel Cayennepfeffer
- 2 Teelöffel Paprika
- 2 Knoblauchzehen, zerdrückt
- 2 Teelöffel Salz
- 1/2 Teelöffel schwarzer Pfeffer

ANLEITUNG:

1. Geben Sie einfach alle Zutaten in ein luftdicht verschließbares Glas, rühren Sie sie gut um und verschließen Sie es.
2. Innerhalb von sechs Monaten verwenden.

NÄHRWERTE: Kalorien: 20, Fett: 0.3g, Kohlenhydrate: 6g, Eiweiß: 1g

Geräuchertes Thymian-Hähnchen-Rub

Zubereitungszeit: 5 Minuten

Kochzeit: 0 Minuten

Portionen: 8

ZUTATEN:

- 60 ml Olivenöl
- 60 ml Sojamarinade
- 2 Esslöffel Zwiebelpulver
- 2 Esslöffel Cayennepfeffer
- 2 Teelöffel Paprika
- 2 Knoblauchzehen, zerdrückt
- 1/2 Teelöffel schwarzer Pfeffer
- 1 Teelöffel getrockneter Oregano
- 1 Teelöffel getrockneter Thymian

ANLEITUNG:

1. Geben Sie einfach alle Zutaten in einen luftdichten Behälter, mischen Sie sie gut durch und schrauben Sie dann den Deckel auf.
2. Innerhalb von 6 Monaten verwenden.

NÄHRWERTE: Kalorien: 120, Fett: 1g, Kohlenhydrate: 6g, Eiweiß: 1g

Geräuchertes Cajun-Hühnchen-Rub

Zubereitungszeit: 5 Minuten

Kochzeit: 0 Minuten

Portionen: 8

ZUTATEN:

- 2 Esslöffel Zwiebelpulver
- 1 Teelöffel getrockneter Oregano
- 2 Esslöffel Cayennepfeffer
- 2 Teelöffel Paprika
- 2 Teelöffel Knoblauchpulver
- 6 Esslöffel scharfe Marinade nach Louisiana-Art
- 2 Teelöffel Lawry's Gewürzsalz
- 1 ½ Teelöffel schwarzer Pfeffer
- 1 Teelöffel getrockneter Thymian

ANLEITUNG:

1. Geben Sie einfach alle Zutaten in ein luftdicht verschließbares Glas, rühren Sie sie gut um und verschließen Sie es.
2. Innerhalb von sechs Monaten verwenden.

NÄHRWERTE: Kalorien: 195, Kohlenhydrate: 1g

Salbei BBQ Rub

Zubereitungszeit: 5 Minuten

Kochzeit: 0 Minuten

Portionen: 8

ZUTATEN:

- 175 g Paprika
- 100 g Zucker
- 100 g Salz
- 60 g gemahlener schwarzer Pfeffer
- 2 Esslöffel Thymian
- 2 Esslöffel trockener Senf
- 1 Esslöffel Kreuzkümmel
- 1 Esslöffel Cayennepfeffer
- 1 Esslöffel Salbei

ANLEITUNG:

1. Geben Sie einfach alle Zutaten in einen luftdichten Behälter, mischen Sie sie gut durch und schrauben Sie dann den Deckel auf.
2. Innerhalb von 6 Monaten verwenden.

NÄHRWERTE: Kalorien: 150, Kohlenhydrate: 1g

Carolina Barbeque Rub

Zubereitungszeit: 5 Minuten

Kochzeit: 0 Minuten

Portionen: 8

ZUTATEN:

- 2 Esslöffel Salz
- 2 Esslöffel gemahlener schwarzer Pfeffer
- 2 Esslöffel weißer Zucker
- 60 g Paprika
- 2 Esslöffel brauner Zucker
- 2 Esslöffel gemahlener Kreuzkümmel
- 2 Esslöffel Chilipulver

ANLEITUNG:

1. Geben Sie einfach alle Zutaten in einen luftdichten Behälter, mischen Sie sie gut durch und schrauben Sie dann den Deckel auf.
2. Innerhalb von 6 Monaten verwenden.

NÄHRWERTE: Kalorien: 50, Fett: 0,5g, Kohlenhydrate: 10g, Eiweiß: 1g

BBQ-Gewürzmischung

Zubereitungszeit: 5 Minuten

Kochzeit: 0 Minuten

Portionen: 8

ZUTATEN:

- 1/2 Teelöffel Zwiebelpulver
- 2 Esslöffel Salz
- 4 Esslöffel Paprika
- 1 1/2 Teelöffel Knoblauchpulver
- 4 Esslöffel brauner Zucker
- 1 Esslöffel grob gemahlener schwarzer Pfeffer
- 1 Teelöffel mildes Chilipulver
- 1/2 Teelöffel Cayennepfeffer (wahlweise)

ANLEITUNG:

1. Geben Sie einfach alle Zutaten in einen luftdichten Behälter, mischen Sie sie gut durch und schrauben Sie dann den Deckel auf.
2. Innerhalb von 6 Monaten verwenden.

NÄHRWERTE: Kalorien: 10, Kohlenhydrate: 1g, Eiweiß: 1g

SCHWEINEFLEISCH REZEPT

Geräucherte Baby Back Ribs

Zubereitungszeit: 10 Minuten

Kochzeit: 2 Stunden

Portionen: 6

Bevorzugte Holzpellets: Hickory

ZUTATEN:

- 3 Stück Baby Back Ribs
- Salz und Pfeffer nach Geschmack

ANLEITUNG:

1. Entfernen Sie die überschüssige Membran, die die Rippen bedeckt, um sie zu reinigen. Die Rippchen werden mit einem frischen Papiertuch abgetupft. Die Baby-Back-Ribs mit Salz und Pfeffer würzen. Vor dem Garen mindestens 4 Stunden im Kühlschrank ruhen lassen.
2. Heizen Sie den Grill auf 105°C, wenn Sie bereit sind, zu kochen.
3. 15 Minuten lang bei geschlossenem Deckel vorheizen.
4. Braten Sie die Rippchen zwei Stunden lang auf dem Grillrost. Um ein gleichmäßiges Garen zu gewährleisten, die Rippchen nach der Hälfte der Garzeit vorsichtig wenden.

NÄHRWERTE: Kalorien: 1037; Eiweiß: 92,5g; Kohlenhydrate: 1,4g; Fett: 73,7g; Zucker: 0,2g

Geräuchertes Apfel-Schweinefilet

Zubereitungszeit: 10 Minuten

Kochzeit: 3 Stunden

Portionen: 6

Bevorzugte Holzpellets: Hickory

ZUTATEN:

- 120 ml Apfelsaft
- 3 Esslöffel Honig
- 3 Esslöffel Traeger-Schweine- und Geflügel-Rub
- 60 g brauner Zucker
- 2 Esslöffel Thymianblätter
- 1/2 Esslöffel schwarzer Pfeffer
- 2 Schweinefiletbraten, ohne Haut

ANLEITUNG:

1. Apfelsaft, Honig, braunen Zucker, schwarzen Pfeffer, Thymian und den Schweine- und Geflügelabrieb in einer Schüssel vermischen. Alles mit dem Schneebesen verrühren.
2. Die Schweinelenden in die Marinade geben und drei Stunden im Kühlschrank marinieren lassen.
3. Heizen Sie den Grill auf 105°C, wenn Sie bereit sind, zu kochen.
4. 15 Minuten lang bei geschlossenem Deckel vorheizen.
5. Die marinierte Schweinelende sollte auf den Grillrost gelegt werden, bis die Innentemperatur 60°C erreicht. Bei niedriger Hitze für etwa 3 Stunden garen.
6. In der Zwischenzeit die Marinade in einen Kochtopf geben. Die Sauce im Topf auf dem Grill so lange kochen, bis sie sich aufgelöst hat.
7. Verwenden Sie die reduzierte Marinade, um das Schweinefleisch zu begießen, bevor Sie es herausnehmen.
8. Lassen Sie die Lebensmittel vor dem Aufschneiden 10 Minuten lang ruhen.

NÄHRWERTE: Kalorien: 203; Eiweiß: 26,4 g; Kohlenhydrate: 15,4 g; Fett: 3,6 g; Zucker: 14,6 g

Competition Style BBQ Pork Ribs

Zubereitungszeit: 10 Minuten

Kochzeit: 2 Stunden

Portionen: 6

Bevorzugte Holzpellets: Hartholz Apfel

ZUTATEN:

- 2 Stück nach St.-Louis-Art (Rippchen)
- 250 ml Traeger-Schweine- und Geflügel-Rub
- 30g brauner Zucker
- 4 Esslöffel Butter
- 4 Esslöffel Agave
- 1 Flasche Traeger Sweet and Heat BBQ Sauce

ANLEITUNG:

1. Entfernen Sie die dünne Bindegewebsschicht, die die Rippen bedeckt, indem Sie sie auf die Arbeitsfläche legen. Braunen Zucker, Butter, Agave und den Traeger Pork and Poultry Rub in einer separaten Schüssel vermischen. Nach dem Mischen gut vermischen.
2. Die Rippchen sollten nach dem Einmassieren mindestens zwei Stunden im Kühlschrank ruhen.
3. Heizen Sie den Grill auf 100°C an, wenn Sie bereit sind, zu kochen. Für die Rippchen rösten Sie die Holzpellets Ihrer Wahl. 15 Minuten lang bei geschlossenem Deckel vorheizen.
4. Nachdem die Rippchen auf den Grillrost gelegt wurden, diesen abdecken. 1 ½ Stunden lang räuchern. Nach der Hälfte der Garzeit die Rippchen umdrehen.
5. Die Rippchen zehn Minuten vor Ende des Grillvorgangs mit etwas BBQ-Sauce bestreichen.
6. Schneiden Sie ihn in Scheiben, nachdem Sie ihn vom Grill genommen und abgekühlt haben.

NÄHRWERTE: Kalorien: 399; Eiweiß: 47,2 g; Kohlenhydrate: 3,5 g; Fett: 20,5 g; Zucker: 2,3 g

Geräucherte Apfel-BBQ-Rippchen

Zubereitungszeit: 10 Minuten

Kochzeit: 2 Stunden

Portionen: 6

Bevorzugte Holzpellets: Hartholz Apfel

ZUTATEN:

- 2 Stück Rippchen nach St. Louis-Art
- 60 g Traeger Big Game Rub
- 250 ml Apfelsaft
- Eine Flasche Traeger BBQ-Sauce

ANLEITUNG:

1. Die Rippchen auf eine Arbeitsfläche legen und die Bindegewebsschicht entfernen.
2. Apfelsaft und Wildabrieb in einer separaten Schüssel gut vermischen.
3. Die Rippchen sollten nach dem Einmassieren mindestens zwei Stunden im Kühlschrank ruhen.
4. Heizen Sie den Grill auf 105°C, wenn Sie bereit sind zu kochen. Die Rippchen mit Apfelholzpellets zubereiten. 15 Minuten lang bei geschlossenem Deckel vorheizen.
5. Die Rippchen auf den Grillrost legen und diesen abdecken. 1 ½ Stunden räuchern. Nach der Hälfte der Garzeit die Rippchen umdrehen.
6. Die Rippchen zehn Minuten vor Ende des Grillvorgangs mit etwas BBQ-Sauce bestreichen.
7. Schneiden Sie ihn in Scheiben, nachdem Sie ihn vom Grill genommen und abgekühlt haben.

NÄHRWERTE: Kalorien: 337; Eiweiß: 47,1 g; Kohlenhydrate: 4,7 g; Fett: 12,9 g; Zucker: 4 g

Schweinenackensteak und Rosmarinmarinade

Zubereitungszeit: 15 Minuten

Kochzeit: 30 Minuten

Portionen: 6

Bevorzugte Holzpellets: Hartholz Apfel

ZUTATEN:

- 1 Schweinenackensteak, 1300 – 1800 g
- 3 Esslöffel Rosmarin, frisch
- 3 Schalotten, gehackt
- 2 Esslöffel Knoblauch, gehackt
- 120 ml Bourbon
- 2 Teelöffel Koriander, gemahlen
- 1 Flasche Apfel-Ale
- 1 Teelöffel gemahlener schwarzer Pfeffer
- 2 Teelöffel Salz
- 3 Esslöffel Öl

ANLEITUNG:

1. Die folgenden Zutaten in einem Zip-Beutel vermengen: Pfeffer, Salz, Rapsöl, Apfel-Ale, Bourbon, Koriander, Knoblauch, Schalotten und Rosmarin.
2. Das in Scheiben geschnittene Fleisch wird in die Marinade gegeben. Über Nacht in den Kühlschrank stellen.
3. Stellen Sie Ihren Smoker auf 230 Grad ein.
4. Das Fleisch in den Räucherofen legen; nach fünf Minuten die Temperatur auf 160°C reduzieren.
5. Wenn die Innentemperatur 70°C erreicht hat, die Marinade darüber gießen und weitere 25 Minuten räuchern.

NÄHRWERTE: Kalorien: 420, Fette: 26g, Kohlenhydrate: 4g, Ballaststoffe: 2g

Gebratener Schinken

Zubereitungszeit: 15 Minuten

Kochzeit: 2 Stunden 15 Minuten

Portionen: 6

ZUTATEN:

- 3,6 – 4,5 kg Schinken, nicht entbeint
- 2 Esslöffel Senf, Dijon
- 60 ml Meerrettich
- 1 Flasche BBQ-Aprikosensoße

ANLEITUNG:

1. Stellen Sie Ihren Smoker auf 160 Grad ein.
2. Der Schinken wird in einen mit Folie ausgelegten Bräter gelegt, in den Räucherofen geschoben und eine Stunde und dreißig Minuten geräuchert.
3. In einer kleinen Pfanne die Sauce, den Meerrettich und den Senf vermischen. Ein paar Minuten bei mittlerer Hitze kochen.
4. Legen Sie es zur Seite.
5. Den Schinken nach eineinhalb Stunden Räuchern glasieren und 30 Minuten weiterräuchern oder bis die Innentemperatur 60 Grad erreicht.
6. Geben Sie ihm 20 Minuten Zeit, sich zu entspannen. Schneiden, dann genießen!

NÄHRWERTE: Kalorien: 460, Fette: 43g, Kohlenhydrate: 10g, Ballaststoffe: 1g

Geräucherte Schweinelende

Zubereitungszeit: 15 Minuten

Kochzeit: 3 Stunden

Portionen: 6

Bevorzugte Holzpellets: Hickory

ZUTATEN:

- 1/2 Liter Apfelsaft
- 1/2 Liter Apfelessig
- 100 g Zucker
- 60 g Salz
- 2 Esslöffel frisch gemahlener Pfeffer
- 1 Teelöffel Flüssigrauch
- 1 Schweinerückenbraten
- 100 g griechisches Gewürz

ANLEITUNG:

1. Mischen Sie Apfelsaft, Essig, Salz, Pfeffer, Zucker und Flüssigrauch in einem großen Gefäß zu einer Salzlake.
2. Wenn nötig, fügen Sie zusätzliches Wasser hinzu.
3. Über Nacht abdecken und kühl stellen.
4. Stellen Sie die Temperatur Ihres Smokers auf 120 Grad ein.
5. Legen Sie das Fleisch in den Smoker, nachdem Sie es mit griechischem Gewürz gewürzt haben.
6. 3 Stunden lang räuchern oder bis die dickste Stelle eine Temperatur von 70 Grad erreicht hat.
7. Ausgeben und genießen!

NÄHRWERTE: Kalorien: 169, Fette: 5g, Kohlenhydrate: 3g, Ballaststoffe: 3g

Geräuchertes Pulled Pork

Zubereitungszeit: 15 Minuten

Kochzeit: 3 Stunden

Portionen: 4

Bevorzugte Holzpellets: Hartholz Apfel

ZUTATEN:

- 2,7 – 4 kg ganze Schweineschulter
- 950 ml Apfelwein
- Großwild-Gewürz

ANLEITUNG:

1. Den Räucherofen bei geschlossenem Deckel 15 Minuten lang auf 120°C vorheizen.
2. Schneiden Sie nun die Schweineschulter von überflüssigem Fett frei und würzen Sie sie mit Großwild-Gewürz.
3. Legen Sie die Schweineschulter mit der Fettseite nach oben auf den Grillrost.
4. Räuchern Sie es, bis das Innere 70°C erreicht. Dafür sollten etwa drei bis fünf Stunden vergehen.
5. Es sollte vom Grill genommen und beiseite gestellt werden.
6. Legen Sie nun 4 große Bögen Alufolie übereinander auf ein großes Backblech. Diese müssen groß genug sein, um die Schweineschulter vollständig zu umschließen.
7. Die Schweineschulter in der Mitte der Folie halten und die Ränder leicht anheben. Das Fleisch mit Apfelwein übergießen und fest umschließen.
8. Bleibt während des Garens mit der Fettseite nach oben auf dem Grill liegen.
9. Er sollte vom Grill genommen werden und 45 Minuten lang in der Folientasche ruhen.
10. Die Folie entfernen und die überschüssige Flüssigkeit abgießen.
11. Entfernen Sie die Knochen und das überschüssige Fett vom Schweinefleisch und bewahren Sie es in einer Schüssel auf.
12. Das Schweinefleisch nach Zugabe der abgetrennten Flüssigkeit erneut mit dem Großwild-Gewürz würzen.
13. Servieren und genießen

NÄHRWERTE: Kalorien: 169, Fette: 5g, Kohlenhydrate: 3g, Ballaststoffe: 3g

Barbecue Baby Back Ribs

Zubereitungszeit: 15 Minuten

Kochzeit: 4 Stunden

Portionen: 2

Bevorzugte Holzpellets: Aprikose oder Erle

ZUTATEN:

- 2 ganze Scheiben Baby-Back-Ribs, Rückenmembranen entfernt
- 250 ml zubereiteter Tafelsenf
- 250 ml Pork Rub
- 250 ml Apfelsaft, aufgeteilt
- 250 ml verpackter hellbrauner Zucker, aufgeteilt
- 250 ml The Ultimate BBQ Sauce, aufgeteilt

ANLEITUNG:

1. Legen Sie Holzpellets für Ihren Smoker bereit und befolgen Sie die Anweisungen des Herstellers, um ihn in Betrieb zu nehmen. Heizen Sie den Räucherofen bei geschlossenem Deckel auf 66°C bis 82°C oder auf die Einstellung "Smoke" vor.
2. Die Rippchen mit Senf einreiben, damit der Rub hält und die Feuchtigkeit nicht entweicht.
3. Massieren Sie die Einreibung sanft ein.
4. Entfernen Sie die Rippen und wickeln Sie dann jedes Gestell sorgfältig in Folie ein. Vor dem sorgfältigen Verschließen 120 ml Apfelsaft und 100 g braunen Zucker in jeden Karton geben.
5. Die in Folie eingewickelten Rippchen auf den Grill legen, abdecken und weitere zwei Stunden räuchern lassen.
6. Die Folie von den Rippchen entfernen und sie vorsichtig aufklappen. Jede Rippe sollte mit 120 ml Barbecue-Soße bedeckt werden, bevor sie bei geschlossenem Deckel 30 minuten bis 1 Stunde lang geräuchert werden oder bis das Fleisch zart ist und eine rötliche Schale hat.

NÄHRWERTE: Kalorien: 764, Fett: 55g, Kohlenhydrate: 2g, Eiweiß: 63g

Baby Back Ribs mit geräuchertem Senf

Zubereitungszeit: 2 5 Minuten

Kochzeit: 6 Stunden

Portionen: 2

Bevorzugte Holzpellets: Aprikose oder Erle

ZUTATEN:

- 2 (907- oder 1360-g) Rippenstapel Baby Back Ribs
- 2 Esslöffel gelber Senf
- 1 Charge Schweinefleisch-Rub

ANLEITUNG:

1. Besorgen Sie sich Holzpellets für Ihren Smoker und befolgen Sie die Anweisungen des Herstellers, um ihn in Betrieb zu nehmen.
2. Entfernen Sie die Membran, die die Unterseite der Rippen bedeckt. Dazu die Membran X-förmig einschneiden und dann mit einem Papiertuch von den Rippen abziehen.
3. Stellen Sie Ihren Holzpellet-Grill auf 105°C ein und räuchern Sie die Rippchen für drei Stunden..
4. Beide Seiten der Rippchen mit Senf bestreichen und mit dem Rub würzen.
5. Die Rippchen sollten vorbereitet und geräuchert werden, bis sie eine Temperatur von 90 C erreichen.
6. Jede Rippe einzeln aufschneiden. Sofort servieren.

NÄHRWERTE: Kalorien: 214, Fett: 45g, Kohlenhydrate: 12g, Eiweiß: 43g

Geräucherte Senf Spare Ribs

Zubereitungszeit: 25 Minuten

Kochzeit: 5 Stunden

Portionen: 2

Bevorzugte Holzpellets: Aprikose oder Erle

ZUTATEN:

- 2 (907- oder 1360-g) Racks Spareribs
- 2 Esslöffel gelber Senf
- 1 Partie Sweet Brown Sugar Rub
- 60 ml The Ultimate BBQ Sauce

ANLEITUNG:

1. Besorgen Sie sich Holzpellets für Ihren Smoker und befolgen Sie die Anweisungen des Herstellers, um ihn in Betrieb zu nehmen.
2. Entfernen Sie die Membran, die die Unterseite der Rippen bedeckt. Dazu die Membran X-förmig einschneiden und dann mit einem Papiertuch von den Rippen abziehen.
3. Stellen Sie Ihren Holzpellet-Grill auf 105°C ein und räuchern Sie die Rippchen für drei Stunden.
4. Beide Seiten der Rippchen mit Senf bestreichen und mit dem Rub würzen.
5. Die Rippchen einlegen und 2 Stunden lang weiterräuchern.
6. Die Rippchen 15 Minuten lang bei 150°C garen, nachdem die Temperatur des Grills erhöht wurde.
7. Die Racks sollten vom Grill genommen, in einzelne Rippchen geschnitten und sofort serviert werden.

NÄHRWERTE: Kalorien: 540, Fett: 55g, Kohlenhydrate: 52g, Eiweiß: 43g

Einfacher Schweinerückenbraten

Zubereitungszeit: 15 Minuten

Kochzeit: 4 Stunden

Portionen: 6

Bevorzugte Holzpellets: Eiche

ZUTATEN:

- 1 ganzer (1,8-2,3 kg)-Fleischbraten
- 60 ml Olivenöl
- 60 ml brauner Zucker, fest verpackt
- 2 Esslöffel Cajun-Gewürz
- 2 Esslöffel Paprika
- 2 Esslöffel Cayennepfeffer

ANLEITUNG:

1. Heizen Sie den Räucherofen mit Eichenholz auf 105 Grad auf.
2. Den Rinderbraten mit Olivenöl bestreichen.
3. Braunen Zucker, Paprika, Cajun-Gewürz und Cayennepfeffer in eine kleine Schüssel geben.
4. Die Gewürzmischung großzügig auf den Braten auftragen.
5. Den Rinderbraten auf das Räuchergestell legen und vier bis fünf Stunden räuchern.
6. Nehmen Sie das Fleisch heraus und schneiden Sie es in Scheiben, wenn die Innentemperatur 75°C erreicht hat.
7. Viel Spaß!

NÄHRWERTE: Kalorien: 219, Fette: 16g, Kohlenhydrate: 0g, Ballaststoffe: 3g

Gefüllte Lendenstücke

Zubereitungszeit: 15 Minuten

Kochzeit: 3 Stunden

Portionen: 8

Bevorzugte Holzpellets: Hartholz Mesquite

ZUTATEN:

- 1 Schweinslende
- 12 Scheiben Speck
- 60 g Cheddar-Käse
- 60 g Mozzarella-Käse
- 1 kleine Zwiebel (fein gehackt)
- 1 Karotte (fein gehackt)

Reiben:

- 1/2 Teelöffel granulierter Knoblauch (kein Knoblauchpulver)
- 1/2 Teelöffel Cayennepfeffer
- 1 Teelöffel Paprika
- 1/2 Teelöffel gemahlener Pfeffer
- 1 Teelöffel Chili
- 1/2 Teelöffel Zwiebelpulver
- 1/4 Teelöffel Kreuzkümmel
- 1 Teelöffel Salz

ANLEITUNG:

1. Legen Sie das Schweinefilet zwischen zwei Plastikfolien, nachdem Sie es mit Butter bestrichen haben. Das Filet mit einem Fleischklopfer gleichmäßig klopfen, bis es etwa 1,5 cm dick ist.
2. Cheddar, Mozzarella, Zwiebel und Karotte auf ein Ende des flachen Schweinefleischs legen. Das Fleisch sollte burrito-gerollt sein.
3. Alle Bestandteile der Einreibung in eine Schüssel geben. Das Schweinefleisch rundherum mit der Gewürzmischung einreiben.
4. Zum Einwickeln des Fleisches werden Speckstücke verwendet.
5. Heizen Sie den Grill für 10 bis 15 Minuten auf 130 C° vor.
6. Wenn die Innentemperatur des Schweinefleischs 75°C erreicht hat und die Speckumhüllung knusprig ist, legen Sie das Schweinefleisch auf den Grill und lassen es drei Stunden lang rauchen.
7. Nehmen Sie das Schweinefleisch aus dem Räucherofen und lassen Sie es 10 Minuten lang ruhen.
8. In Größen schneiden und servieren.

NÄHRWERTE: Kalorien: 241, Fett: 14.8g, Cholesterin: 66mg, Kohlenhydrate: 2.7g, Protein: 22.9g

Gegrillte Schweinekoteletts

Zubereitungszeit: 10 Minuten

Kochzeit: 1 Stunde 5 Minuten

Portionen: 4

Bevorzugte Holzpellets: Hickory

ZUTATEN:

- 4 mittig geschnittene Schweinekoteletts ohne Knochen
- 2 Esslöffel Olivenöl

Reiben:

- 1 Teelöffel koscheres Salz oder nach Geschmack
- 1 Teelöffel italienisches Gewürz
- 1 Teelöffel griechisches Gewürz
- 1/2 Teelöffel Cayennepfeffer
- 2 Teelöffel brauner Zucker
- 1 Teelöffel fein gehackter frischer Rosmarin
- 1 Teelöffel gemahlener schwarzer Pfeffer
- 1 Teelöffel getrocknetes Basilikum
- 1/2 Teelöffel Pfefferminz
- 1/2 Teelöffel Oregano
- 1/2 Teelöffel gemahlener Kreuzkümmel

ANLEITUNG:

1. Stellen Sie Ihren Grill auf die Rauchstufe und lassen Sie den Deckel offen, bis das Feuer erloschen ist.
2. Heizen Sie den Grill auf 80°C vor.
3. In einer kleinen Rührschüssel alle Bestandteile des Reibs vermischen.
4. Die gesamte Oberfläche der Schweinekoteletts mit Öl bestreichen. Beide Seiten der Schweinekoteletts großzügig mit dem Rub bestreuen.

5. Legen Sie die Schweinekoteletts auf den Grill und lassen Sie sie bei geschlossenem Deckel 45 Minuten lang rauchen.
6. Nachdem Sie die Schweinekoteletts vom Grill genommen haben, drehen Sie die Hitze auf 250 C°.
7. Die Schweinekoteletts sollten wieder auf den Grill gelegt und weitere 20 Minuten geräuchert werden, oder bis die Innentemperatur 65°C erreicht.
8. Nachdem Sie das Schweinekotelett vom Grill genommen haben, lassen Sie es einige Zeit ruhen.
9. In Scheiben schneiden und servieren.

NÄHRWERTE: Kalorien: 216, Fett: 11.6g, Cholesterin: 76mg, Kohlenhydrate: 2.9g, Protein: 25.2g

Würstchen im Speckmantel mit braunem Zucker

Zubereitungszeit: 20 Minuten

Kochzeit: 30 Minuten

Portionen: 8

Bevorzugte Holzpellets: Aprikose oder Erle

ZUTATEN:

- 450 g Speckstreifen, halbiert
- 400 g Cocktailwürstchen
- 100 g brauner Zucker

ANLEITUNG:

1. Eine Wurst in einen Speckstreifen einwickeln, indem man sie auf eine saubere Unterlage legt, mit einem Nudelholz rollt und mit einem Zahnstocher befestigt.
2. Wiederholen Sie den Vorgang mit den restlichen Würsten und legen Sie sie nach dem Einwickeln in die Kasserolle.
3. Wenn Sie bereit sind zu grillen, schalten Sie den Grill ein, füllen Sie ihn mit Holzpellets mit Aprikose oder Erle, schalten Sie ihn mit dem Bedienfeld ein, wählen Sie für die Temperatur "Rauch" und warten Sie mindestens 15 Minuten.
4. Die Wurst sollte auf einem mit Pergamentpapier ausgelegten Backblech angerichtet werden, sobald die Auflaufform aus dem Kühlschrank genommen worden ist.
5. Öffnen Sie den Deckel, nachdem der Grill aufgeheizt ist, legen Sie ein Backblech auf den Grillrost, schließen Sie ihn und lassen Sie es 30 Minuten lang rauchen.
6. Die fertigen Würste vor dem Servieren in eine Schüssel geben.

NÄHRWERTE: Kalorien: 270, Fett: 27 g, Kohlenhydrate: 18 g, Eiweiß: 9 g

Zitronenpfeffer-Schweinefilet

Zubereitungszeit: 20 Minuten

Kochzeit: 20 Minuten

Portionen: 6

Bevorzugte Holzpellets: Aprikose oder Erle

ZUTATEN:

- 900 g Schweinefilet, Fett abgetrennt
- Für die Marinade:
- 1/2 Teelöffel gehackter Knoblauch
- 2 Zitronen, Zester
- 1 Teelöffel gehackte Petersilie
- 1/2 Teelöffel Salz
- 1/4 Teelöffel gemahlener schwarzer Pfeffer
- 1 Teelöffel Zitronensaft
- 2 Esslöffel Olivenöl

ANLEITUNG:

1. Alle Zutaten für die Marinade in eine kleine Schüssel geben und verrühren.
2. Das Schweinefilet sollte in einen großen Plastikbeutel mit der Marinade gelegt, verschlossen und auf den Kopf gestellt werden, um das Schweinefleisch zu bedecken. Das Schweinefleisch sollte mindestens zwei Stunden im Kühlschrank mariniert werden.
3. Geben Sie Holzpellets mit Apfelgeschmack in den Grilltrichter, schalten Sie den Grill über das Bedienfeld ein, wählen Sie auf dem Temperaturregler die Option "Rauch" oder heizen Sie den Grill mindestens 15 Minuten lang bei 190°C.
4. Nach dem Aufheizen den Deckel des Grills öffnen, das Schweinefilet auf den Grillrost legen, abdecken und das Fleisch 20 Minuten lang räuchern, dabei nach der Hälfte der Zeit wenden, bis die Innentemperatur 65°C erreicht.

5. Das Schweinefleisch auf ein Schneidebrett legen, zehn Minuten ruhen lassen, dann in Scheiben schneiden und servieren.

NÄHRWERTE: Kalorien: 288, Fett: 16,6 g, Kohlenhydrate: 6,2 g, Eiweiß: 26,4 g

Chinesisches BBQ-Schweinefleisch

Zubereitungszeit: 10 Minuten

Kochzeit: 2 Stunden

Portionen: 8

Bevorzugte Holzpellets: Aprikose oder Erle

ZUTATEN:

- 2 Schweinefilets, ohne Silberhaut
- Für die Marinade:
- 1/2 Teelöffel gehackter Knoblauch
- 1 1/2 Esslöffel brauner Zucker
- 1 Teelöffel chinesisches Fünf-Gewürze-Gewürz
- 60 ml Honig
- 1 Esslöffel asiatisches Sesamöl
- 60 ml Hoisin-Sauce
- 2 Teelöffel rote Lebensmittelfarbe
- 1 Esslöffel Austernsauce, wahlweise
- 3 Esslöffel Sojasauce

Für die Fünf-Gewürze-Soße:

- 1/4 Teelöffel chinesisches Fünf-Gewürze-Gewürz
- 3 Esslöffel brauner Zucker
- 1 Teelöffel gelber Senf
- 60 ml Ketchup

ANLEITUNG:

1. Alle Zutaten für die Marinade in eine kleine Schüssel geben und verrühren.
2. Das Schweinefilet sollte in einen großen Plastikbeutel mit der Marinade gelegt, verschlossen und auf den Kopf gestellt werden, um das Schweinefleisch zu bedecken. Das Schweinefleisch sollte mindestens 8 Stunden im Kühlschrank mariniert werden.
3. Geben Sie einige Holzpellets mit Aprikose oder Erle in den Grilltrichter, schalten Sie den Grill mit dem Bedienfeld ein, wählen Sie "Rauch" auf dem Temperaturregler oder stellen Sie die Temperatur auf 100°C und warten Sie mindestens fünf Minuten, bevor Sie ihn benutzen.
4. Das Schweinefleisch aus der Marinade nehmen, die Marinade in einen kleinen Topf geben, 3 Minuten bei mittlerer Hitze erhitzen und dann zum Abkühlen beiseite stellen.
5. Öffnen Sie den Deckel des Grills, nachdem er aufgeheizt ist, legen Sie das Schweinefleisch auf den Grillrost, schließen Sie ihn und räuchern Sie das Fleisch zwei Stunden lang, wobei Sie nach der Hälfte der Zeit einmal nachlegen.
6. Nehmen Sie einen kleinen Topf, stellen Sie ihn auf niedrige Hitze, fügen Sie alle Zutaten hinzu und verquirlen Sie alles, bis die Fünf-Gewürze-Sauce gut vermischt ist. Nachdem sich der Zucker aufgelöst hat und durcherhitzt und eingedickt ist, lassen Sie ihn beiseite, bis Sie ihn brauchen.
7. Wenn das Schweinefleisch fertig ist, legen Sie es auf einen Teller und lassen es 15 Minuten lang ruhen. In der Zwischenzeit die Räuchertemperatur des Grills auf 230°C erhöhen und mindestens 10 Minuten lang vorbereiten lassen.
8. Um das Schweinefleisch leicht zu bräunen, legen Sie es wieder auf den Grillrost und garen es 3 Minuten auf jeder Seite.
9. Servieren Sie das Schweinefleisch mit der vorbereiteten Fünf-Gewürze-Sauce, nachdem Sie es auf einen Teller gelegt und fünf Minuten ruhen lassen haben.

NÄHRWERTE: Kalorien: 280, Fett: 8g, Kohlenhydrate: 12g, Eiweiß: 40g

Schweinesteak

Zubereitungszeit: 10 Minuten

Zubereitungszeit: 20 Minuten

Portionen: 4

Bevorzugte Holzpellets: Hickory

ZUTATEN:

- Für die Salzlake:
- 5 cm Stück Orangenschale
- 2 Zweige Thymian
- 4 Esslöffel Salz
- 4 schwarze Pfefferkörner
- 1 Zweig Rosmarin
- 2 Esslöffel brauner Zucker
- 2 Lorbeerblätter
- 2,5 l Wasser
- Für Schweinesteaks:
- 4 Schweinesteaks, Fett abgetrennt
- Spiele reiben nach Bedarf

ANLEITUNG:

1. Für die Zubereitung der Salzlake nehmen Sie ein großes Gefäß, geben alle Bestandteile der Salzlake hinein und mischen, bis der Zucker aufgelöst ist.
2. Legen Sie die Steaks hinein, beschweren Sie das Fleisch und stellen Sie es 24 Stunden lang in den Kühlschrank, damit die Salzlake ihre Wirkung entfalten kann.
3. Füllen Sie die Holzpellets in den Grilltrichter, schalten Sie den Grill über das Bedienfeld ein, stellen Sie die Temperatur auf 105 C° ein und lassen Sie den Grill mindestens 15 Minuten lang warmlaufen.
4. Die Steaks sollten aus der Salzlake genommen, gründlich abgespült und mit Papiertüchern abgetrocknet werden, bevor sie mit einem Wildrub gut gewürzt und paniert werden.
5. Nach dem Aufheizen den Deckel des Grills öffnen, die Steaks auf den Grillrost legen, abdecken und 10 Minuten auf jeder Seite räuchern, oder bis die Innentemperatur 65°C erreicht.
6. Die Steaks auf ein Schneidebrett legen, zehn Minuten ruhen lassen, dann in Scheiben schneiden und servieren.

NÄHRWERTE: Kalorien: 260, Fett: 21g, Kohlenhydrate: 1g, Eiweiß: 17g

Sweet Sensation Schweinefleisch

Zubereitungszeit: 20 Minuten

Kochzeit: 3 Stunden

Portionen: 3

Bevorzugte Holzpellets: Hickory

ZUTATEN:

- 2 Teelöffel Muskatnuss, gemahlen
- 60 g Piment
- 2 Teelöffel Thymian, getrocknet
- 60 g brauner Zucker
- 900 g Schweinefleisch
- 2 Teelöffel Zimt, gemahlen
- 2 Esslöffel Salz, koscher oder Meersalz

ANLEITUNG:

1. Heizen Sie den Grill 15 Minuten lang auf 105°C vor. Hickory-Holzpellets verwenden
2. Alle Zutaten (außer Schweinefleisch) in einer Schüssel vermengen. Gründlich mischen.
3. Schneiden Sie die Seiten des Schweinefleischs an 4-5 Stellen ein. Einige Zutaten in die Scheiben geben und den Rest über das Schweinefleisch reiben.
4. Das Schweinefleisch auf den vorgeheizten Grill legen und 3 Stunden lang räuchern oder bis die Innentemperatur 65°C beträgt.
5. Vor dem Servieren ruhen lassen.

NÄHRWERTE: Kalorien: 300kcal, Eiweiß: 36g, Kohlenhydrate: 45g, Fett: 31g

Geräucherte Schweineschulter

Zubereitungszeit: 20 Minuten

Kochzeit: 7 Stunden

Portionen: 8

Bevorzugte Holzpellets: Apfel

ZUTATEN:

- 2 Teelöffel Knoblauchpulver
- 4 Teelöffel Salz, entweder Meersalz oder koscheres Salz
- 2 Teelöffel Zwiebelpulver
- 4 Teelöffel schwarzer Pfeffer
- 2 Teelöffel Knoblauch
- 2700 g Schweineschulter
- 1 Teelöffel Cayennepfeffer
- Carolina-Essig-Sauce
- 11 bereits geteilte Sesambrötchen
- 3 Esslöffel geschmolzene Butter.

ANLEITUNG:

1. Heizen Sie den Grill für 15 Minuten auf 120°C vor. Verwenden Sie Apfelholzpellets für einen unverwechselbaren, starken Holzgeschmack.
2. Zwiebelpulver, Knoblauchpulver, Cayennepfeffer, Salz und schwarzen Pfeffer in einer Schüssel mischen.
3. Die Schweineschulter in den Grill legen und 7 Stunden lang räuchern.
4. Schneiden Sie das Schweinefleisch in Scheiben, und die Knochen lassen sich mühelos entfernen.
5. Das zerkleinerte Schweinefleisch auf einen Teller geben, die Sauce dazugeben und umrühren
6. Servieren Sie es mit Butter und getoasteten Brötchen.

NÄHRWERTE: Kalorien: 203kcal, Fett: 25g, Kohlenhydrate: 30g, Eiweiß: 16g

Monster-Schweinekoteletts geräuchert

Zubereitungszeit: 20 Minuten

Kochzeit: 2 Stunden 30 Minuten

Portionen: 4

Bevorzugte Holzpellets: Pekannuss

ZUTATEN:

- 85 g Zucker
- 4 Teelöffel rosa Pökelsalz
- Pflanzliches Öl
- 250 ml koscheres Salz oder Meersalz
- 550 g Schweinekoteletts
- 1/4 heißes Wasser
- 1/4 kaltes Wasser

ANLEITUNG:

1. Das Fleisch auf ein großes Backblech legen. Salz, Pökelsalz, Zucker und kochendes Wasser in einer Schüssel vermischen. Nach dem Hinzufügen des Schweinefleischs zu der Mischung 12 Stunden lang in den Kühlschrank stellen.
2. Heizen Sie den Grill bei 120°C 15 Minuten lang vor. Pekannussholz-Pellets verwenden.
3. Das Schweinefleisch nach draußen bringen und die Salzlake abtropfen lassen.
4. Das Schweinefleisch sollte etwa zweieinhalb Stunden geräuchert werden oder bis es durchgegart ist oder eine Innentemperatur von 65°C erreicht.
5. Die Seiten des Schweinefleischs mit Olivenöl einreiben. Wenn das Schweinekotelett gar ist, die Hitze im Herd auf 150°C erhöhen und es weitere 5 Minuten grillen.

NÄHRWERTE: Kalorien: 350kcal, Eiweiß: 35g, Kohlenhydrate: 45g, Fett: 40g.

Geräucherter irischer Speck

Zubereitungszeit: 20 Minuten

Kochzeit: 2 Stunden 30 Minuten

Portionen: 7

Bevorzugte Holzpellets: Pekannuss

ZUTATEN:

- 1 Lorbeerblatt
- 125 ml Wasser
- 160 ml Zucker
- 6-Sternanis, ganz
- 250 ml frischer Fenchel, vorzugsweise Knolle und Wedel
- 2 Thymianblüten, frisch
- 1 Knoblauchzehe
- 2 Teelöffel Pökelsalz
- 1 kg Schweinelende
- 1-1/2 Teelöffel Pfefferkörner, schwarz
- 1-1/2 Teelöffel Fenchelsamen

ANLEITUNG:

1. Fenchelsamen, Pfefferkörner, Sternanis und Schweinebraten in einem großen Suppentopf etwa 3 Minuten lang anbraten. Zucker, Wasser, Thymian, Knoblauch, Pökelsalz, grobes Salz und Lorbeerblätter in einem Topf mischen und 3 Minuten lang kochen, bis sich Salz und Zucker auflösen.
2. Die Schweinelende in einen Ziploc-Beutel geben, diesen verschließen und in einen Bräter legen. Im Kühlschrank 4 Tage lang aufbewahren.
3. Heizen Sie den Grill 15 Minuten lang auf 120°C vor. Pekannussholz-Pellets verwenden.
4. Das Schweinefleisch aus der Salzlake nehmen und auf den Grillrost legen. 2 Stunden und 30 Minuten räuchern oder bis die Innentemperatur 65°C beträgt.
5. Sofort oder nach dem Abkühlen servieren.

NÄHRWERTE: Kalorien: 309kcal, Fett: .7g, Eiweiß: 30.6g, Kohlenhydrate: 40g

Geräucherte Bologneserolle im Ganzen

Zubereitungszeit: 10 Minuten

Kochzeit: 4 Stunden 20 Minuten

Portionen: 12

Bevorzugte Holzpellets: Hickory

ZUTATEN:

- Ganze Rinderbologna-Roster (1350 g)
- Schwarzer Pfeffer, frisch gepresst --
- 2 Esslöffel
- Brauner Zucker 175 g
- Gelbes Steak - 60 g

ANLEITUNG:

1. Den schwarzen Pfeffer und den braunen Zucker untermischen.
2. Die Außenseite der Bolognese rautenförmig einritzen.
3. Die Bolognese außen mit Senf bestreichen und mit dem dunklen Pfeffer/Zucker einreiben, bis sie gleichmäßig und gründlich bedeckt ist.
4. Die Wurst auf dem oberen Rost des Smokers anordnen und 3-4 Stunden garen, bis die Außenseite karamellisiert ist.
5. Schneiden Sie die Bologna in mitteldicke Stücke und servieren Sie sie.

NÄHRWERTE: Kalorien: 210kcal

Baby Back Ribs mit Ahornsirup

Zubereitungszeit: 5 Minuten

Kochzeit: 3 Stunden

Portionen: 2

Bevorzugte Holzpellets: Aprikose oder Erle

ZUTATEN:

- 2 (907g- oder 1360g) Rippenstapel Baby Back Ribs
- 2 Esslöffel gelber Senf
- 1 Stück Sweet Brown Sugar Rub
- 120 ml Ahornsirup, geteilt
- 2 Esslöffel hellbrauner Zucker
- 240 ml Pepsi oder eine andere nicht-diätetische Cola
- 60 ml The Ultimate BBQ Sauce

ANLEITUNG:

1. Besorgen Sie sich Holzpellets für Ihren Smoker und befolgen Sie die Anweisungen des Herstellers, um ihn in Betrieb zu nehmen.
2. Entfernen Sie die Membran, die die Unterseite der Rippen bedeckt. Dazu die Membran X-förmig einschneiden und dann mit einem Papiertuch von den Rippen abziehen.
3. Beide Seiten der Rippchen mit Senf bestreichen und mit dem Rub würzen.
4. Die Rippchen drei Stunden lang bei 105°C in den Räucherofen legen.
5. Die Rippchen herausnehmen und mit der Knochenseite nach oben auf ein Blatt Aluminiumfolie legen, das groß genug ist, um die Rippchen vollständig zu umschließen. Den braunen Zucker auf die Fleischseite der Rippchen streuen und mit der Hälfte des Ahornsirups beträufeln.
6. Die Temperatur des Grills sollte auf 150°C erhöht werden.
7. Die restlichen 6 Esslöffel Ahornsirup mit der Barbecue-Sauce vermischen. Zum Begießen der Rippchen diese verwenden. Die Rippchen ohne Folie wieder auf den Grill legen und weitere 15 Minuten garen, damit die Sauce karamellisiert.
8. Nach dem Aufschneiden in einzelne Rippchen sofort servieren.

NÄHRWERTE: Kalorien: 214, Fett: 45, Kohlenhydrate: 12g, Eiweiß: 43g

Gegrillter Schweinebauch

Zubereitungszeit: 10 Minuten

Kochzeit: 3 Stunden und 30 Minuten

Portionen: 8

Bevorzugte Holzpellets: Aprikose oder Erle

ZUTATEN:

- 1,3 kg Schweinebauch, ohne Haut
- Gewürzmischung für Schweinefleisch und Geflügel nach Bedarf
- 4 Esslöffel Salz
- 1/2 Teelöffel gemahlener schwarzer Pfeffer

ANLEITUNG:

1. Geben Sie Holzpellets mit Apfelgeschmack in den Grilltrichter, schalten Sie den Grill mit dem Bedienfeld ein, wählen Sie "Rauch" auf dem Temperaturregler oder stellen Sie die Temperatur auf 135°C und warten Sie mindestens 15 Minuten, bis er vorgeheizt ist.
2. Bereiten Sie den Schweinebauch vor, indem Sie beide Seiten des Fleisches großzügig mit Salz, schwarzem Pfeffer und Schweine- und Geflügelgewürzmischung.
3. Nach dem Aufheizen den Deckel des Grills öffnen, den Schweinebauch auf den Grillrost legen, abdecken und drei Stunden und dreißig Minuten lang räuchern, bis die Innentemperatur 90°C erreicht hat.
4. Der in Scheiben geschnittene Schweinebauch wird serviert, nachdem er 15 Minuten auf einem Schneidebrett geruht hat.

NÄHRWERTE: Kalorien: 430, Fett: 44g, Kohlenhydrate: 1g, Eiweiß: 8g

x

Gebratener ganzer Schinken in Aprikosensauce

Zubereitungszeit: 15 Minuten

Kochzeit: 2 Stunden

Portionen: 12

Bevorzugte Holzpellets: Aprikose oder Erle

ZUTATEN:

- 3,6 kg ganzer Schinken, nicht entbeint
- 450 gr Aprikosen-BBQ-Sauce
- 2 Esslöffel Dijon-Senf
- 60 ml Meerrettich

ANLEITUNG:

1. Geben Sie Holzpellets mit Aprikosengeschmack in den Grilltrichter, schalten Sie den Grill mit dem Bedienfeld ein, wählen Sie "Rauch" auf dem Temperaturregler oder stellen Sie die Temperatur auf 160°C und lassen Sie ihn mindestens 15 Minuten lang aufwärmen.
2. Den Schinken in einen großen, mit Folie ausgelegten Bratentopf legen.
3. Öffnen Sie den Deckel des Grills, nachdem er aufgeheizt ist, und legen Sie den Bräter mit dem Schinken auf den Grillrost. Den Grill schließen und den Schinken eine Stunde und dreißig Minuten lang rauchen lassen.
4. Für die Glasur BBQ-Sauce, Senf und Meerrettich in einem mittelgroßen Kochtopf bei mittlerer Hitze verrühren. 5 Minuten kochen, dann bis zur Verwendung beiseite stellen.
5. Nach 1 Stunde und 30 Minuten Räuchern den Schinken großzügig mit der vorbereiteten Glasur bestreichen und dann weitere 30 Minuten räuchern, bis die Innentemperatur 55°C erreicht hat.
6. Der Braten sollte vom Grill genommen werden, 20 Minuten ruhen und dann in Scheiben geschnitten werden.
7. Die restliche Glasur über dem Schinken servieren.

NÄHRWERTE: Kalorien: 157, Fett: 5,6g, Kohlenhydrate: 4,1g, Eiweiß: 22,1g

RINDFLEISCH REZEPT

Gesundes Rindfleisch Tri-Tip

Zubereitungszeit: 1 Stunde

Kochzeit: 2 Stunden

Portionen: 4

Bevorzugte Holzpellets: Eiche oder Erle

ZUTATEN:

- 0,9-1,4 kg Rinder-Tri-Tip-Braten
- 1/2 Teelöffel Knoblauchpulver
- 1 Teelöffel Zwiebelpulver
- 1 Teelöffel Espressopulver
- 1 Teelöffel brauner Zucker
- 1 Teelöffel schwarzer Pfeffer
- 1-1/2 Teelöffel mildes Chilipulver
- 2 Teelöffel Salz

ANLEITUNG:

1. Nehmen Sie eine kleine Schüssel und geben Sie alle Zutaten für den Rub hinein
2. Den Braten auf ein Schneidebrett legen und den Fettdeckel aufschneiden, das Fett einschneiden
3. Den Braten um 90 Grad drehen und rautenförmig einritzen
4. Das Fleisch rundherum mit dem Rub würzen und gut andrücken, damit es bedeckt ist.
5. Den Braten auf die Seite legen und 30-60 Minuten ruhen lassen.
6. Nehmen Sie Ihre Auffangschale, geben Sie Wasser hinein und decken Sie sie mit Alufolie ab. Heizen Sie den Smoker auf 100°C vor.
7. Füllen Sie die Wasserwanne bis zur Hälfte mit Wasser und stellen Sie sie über die Auffangschale. Holzpellets in den dafür vorgesehenen Behälter geben.
8. Legen Sie den Tri-Tip (mit der Fettseite nach oben) auf den mittleren Rost des Räucherofens, schließen Sie die Tür und lassen Sie ihn 2 Stunden lang räuchern, bis die Innentemperatur 55°C erreicht.
9. Den Braten auf ein Schneidebrett legen und mit Folie abdecken. 20 Minuten ruhen lassen
10. Gleichmäßig in Scheiben schneiden und servieren
11. Viel Spaß!

NÄHRWERTE: Kalorien: 764, Fett: 55g, Kohlenhydrate: 2g, Eiweiß: 63g

Fleisch Chuck Short Rib

Zubereitungszeit: 20 Minuten

Kochzeit: 5-6 Stunden

Portionen: 2

Bevorzugte Holzpellets: Mesquite- oder Hickory-Pellets

ZUTATEN:

- Englischer Zuschnitt mit 4 Knochen, kurze Rinderrippe vom Chuck
- 750 ml Senf, gelber Senf oder natives Olivenöl extra
- 3-5 Esslöffel Western Love

ANLEITUNG:

1. Die silbrige Haut entfernen und die Fettkappe vom Rippenknochen abschneiden, so dass 6 mm Fett zurückbleibt.
2. Um das Fleischstück anzuheben und richtig zu würzen, lösen Sie die Membran vom Knochen und einen Löffelstiel unter die Membran schieben. Ein ein Stück Papiertuch kann verwendet werden, um die Membran zu greifen und sie vom Knochen zu lösen.
3. Die kurze Rippenplatte sollte auf beiden Seiten mit Senf oder Olivenöl bestrichen werden. Würzen Sie alle Seiten, indem Sie die Gewürzmischung einreiben.
4. Heizen Sie den Grill und den Holzpellet-Smoker mit indirekter Beheizung auf 100°C auf.
5. Die dickste Stelle des Rippenknochens sollte in einen Holzpellet-Smoker, einen Grill oder eine Fleischsonde gesteckt werden. Wenn Ihr Grill keine Fleischsonde hat oder Sie keine ferngesteuerte Fleischsonde haben, überprüfen Sie die Innentemperatur des Grillguts während des Garens mit einem digitalen Thermometer mit Sofortablesung.
6. Die kurzen Rippenknochen werden mit der Knochenseite nach unten auf den Grill gelegt und 5 Stunden lang bei 100°C geräuchert.
7. Wenn die Innentemperatur der Rippchen nach fünf Stunden nicht auf mindestens 90°C angestiegen ist, die Temperatur in der Grube

auf 120°C erhöhen und die Rippchen weitergaren, bis sie zwischen 90° und 95°C liegen.
8. Vor dem Servieren die geräucherten kurzen Rippenknochen 15 Minuten lang in das lose Folienzelt legen.

NÄHRWERTE: Kalorien: 357, Kohlenhydrate: 0g, Fett: 22g, Eiweiß: 37g

George's Geräucherter Tri-Tip

Zubereitungszeit: 25 Minuten

Kochzeit: 5 Stunden

Portionen: 4

Bevorzugte Holzpellets: Aprikose oder Erle

ZUTATEN:

- 0,7 kg Tri-Tip-Braten
- Salz
- Frisch gemahlener schwarzer Pfeffer
- 2 Teelöffel Knoblauchpulver
- 2 Teelöffel Zitronenpfeffer
- 120 ml Apfelsaft

ANLEITUNG:

1. Legen Sie Holzpellets für Ihren Smoker bereit und heizen Sie ihn nach den Anweisungen des Herstellers an. Lassen Sie Ihren Grill bei geschlossenem Deckel auf 80°C aufheizen.
2. Der Tri-Tip-Braten sollte mit Salz, Pfeffer, Knoblauchpulver und Zitronenpfeffer gewürzt werden. Arbeiten Sie die Gewürze mit beiden Händen in das Fleisch ein.
3. Legen Sie das zu bratende Fleisch direkt auf den Grillrost und lassen Sie es vier Stunden lang rauchen.
4. Das Tri-Tip vom Grill nehmen und sorgfältig in Alufolie einwickeln.
5. Die Temperatur des Grills sollte auf 190°C erhöht werden.
6. Die Alufolie an drei Seiten um den Braten herum einschlagen und den Apfelsaft darüber gießen. Die letzte Kante einklappen, damit der Braten und die Flüssigkeit vollständig umschlossen sind. Den Tri-Tip wieder auf den Grill legen und weitere 45 Minuten garen lassen.
7. Vor dem Öffnen, Aufschneiden und Servieren nehmen Sie den Tri-Tip-Braten vom Grill und lassen ihn 10 bis 15 Minuten ruhen.

NÄHRWERTE: Kalorien: 155, Kohlenhydrate: 0g, Fett: 7g, Eiweiß: 23g

Gezogenes Rindfleisch

Zubereitungszeit: 25 Minuten

Kochzeit: 12 bis 14 Stunden

Portionen: 5 bis 8

Bevorzugte Holzpellets: Aprikose oder Erle

ZUTATEN:

- 1 (1,8 kg) runder Braten
- 2 Esslöffel gelber Senf
- 1 Charge Espresso-Rindsbraten-Rub
- 120 ml Rinderbrühe

ANLEITUNG:

1. Legen Sie Holzpellets für Ihren Smoker bereit und heizen Sie ihn nach den Anweisungen des Herstellers an. Um qualitativ hochwertige Speisen zu erzeugen, lassen Sie Ihren Griller bei geschlossenem Deckel bei 100°C warmlaufen.
2. Den Braten mit Senf bestreichen, abrunden und mit dem Rub würzen. Das Rub mit beiden Händen in das Fleisch einarbeiten.
3. Das Bratenfleisch sollte direkt auf den Grillrost gelegt und geräuchert werden, bis es innen 70°C erreicht und eine schwarze Rinde entwickelt.
4. Nachdem Sie den Braten vom Grill genommen haben, wickeln Sie ihn sorgfältig in Alufolie ein.
5. Die Temperatur des Grills sollte jetzt bei 175°C liegen.
6. Die Folie an drei Seiten um den Braten falten, dann die Rinderbrühe darüber gießen. Die letzte Seite sollte so gefaltet werden, dass der Braten und die Flüssigkeit vollständig umschlossen sind. Den Braten wieder auf den Grill legen und dort garen, bis die Innentemperatur 90°C erreicht hat.
7. Nachdem Sie den Braten vom Grill genommen haben, legen Sie ihn in eine Kühlbox. Lassen Sie den Braten ein paar Stunden lang zugedeckt ruhen.

8. Nehmen Sie den Braten aus der Kühlung und wickeln Sie ihn aus. Sie können das Fleisch allein mit den Fingerspitzen zerlegen. Sofort servieren.

NÄHRWERTE: Kalorien: 213, Kohlenhydrate: 0g, Fett: 16g, Eiweiß: 15g

Geräuchertes Roastbeef

Zubereitungszeit: 10 Minuten

Kochzeit: 12-14 Stunden

Portionen: 5 bis 8

Bevorzugte Holzpellets: Hartholz Mesquite

ZUTATEN:

- 1 (1,8 kg) runder Braten
- 1 Charge Espresso-Rindsbraten-Rub
- 1 Esslöffel Butter

ANLEITUNG:

1. Legen Sie Holzpellets für Ihren Smoker bereit und heizen Sie ihn nach den Anweisungen des Herstellers an. Lassen Sie Ihren Griller bei geschlossenem Deckel auf 80°C aufheizen.
2. Würzen Sie den Braten mit dem Rub. Die Einreibung mit beiden Händen in das Fleisch einarbeiten.
3. Den Braten auf den Grillrost legen und räuchern, bis er innen 55°C erreicht. Der Braten sollte vom Grill genommen werden.
4. Die Hitze des Grills auf 230°C erhöhen und eine gusseiserne Pfanne auf den Rost stellen. Wenn die Innentemperatur des Bratens 65°C erreicht hat, legen Sie ihn in die Pfanne, fügen Sie die Butter hinzu und garen Sie ihn dort etwa 3 Minuten lang, bevor Sie ihn umdrehen. (Wenn Ihr Grill es zulässt, empfehle ich, das Rindfleisch nicht in der gusseisernen Pfanne, sondern auf offener Flamme zu braten).
5. Vor dem Aufschneiden und Servieren nehmen Sie das Gegrillte vom Grill und lassen es 10 bis 15 Minuten ruhen.

NÄHRWERTE: Kalorien: 290, Kohlenhydrate: 3g, Fett: 9g, Eiweiß: 50g

Rinderfilet mit Mandelkruste

Zubereitungszeit: 15 Minuten

Kochzeit: 55 Minuten

Portionen: 4

Bevorzugte Holzpellets: Hartholz Mesquite

ZUTATEN:

- 60 g gehackte Mandeln
- 1 Esslöffel Dijon-Senf
- 250 ml Hühnerbrühe
- Salz
- 85 g gehackte Zwiebel
- 60 ml Olivenöl
- Pfeffer
- 2 Esslöffel Currypulver
- 1350 g Rinderfiletlende

ANLEITUNG:

1. Das Filet sollte mit Salz und Pfeffer eingerieben werden.
2. In einer Schüssel das Olivenöl, das Currypulver, die Zwiebel, die Hühnerbrühe und die Mandeln vermischen. Gründlich umrühren, um sie zu vermischen.
3. Nehmen Sie diese Mischung und massieren Sie sie großzügig auf das Filet.
4. Befolgen Sie nach dem Einfüllen der Holzpellets in den Smoker die Startanweisungen Ihres Herdes. Schließen Sie den Deckel des Smokers und heizen Sie ihn auf 250 C° vor.
5. Für 10 Minuten auf jeder Seite auf den Grill legen, abdecken und rauchen lassen.
6. Gegebenenfalls länger kochen, bis der gewünschte Gargrad erreicht ist.
7. Nehmen Sie den ganzen Grill und lassen Sie ihn mindestens 10 Minuten lang ruhen.

NÄHRWERTE: Kalorien: 118, Kohlenhydrate: 3g, Fett: 3g, Eiweiß: 20g

La Rochelle Steak

Zubereitungszeit: 10 Minuten

Kochzeit: 20 Minuten

Portionen: 4

Bevorzugte Holzpellets: Hartholz Mesquite

ZUTATEN:

- 1 Esslöffel rotes Johannisbeergelee
- 1/2 Teelöffel Salz
- 3 Teelöffel Currypulver
- 200 g Ananasstückchen in Saft
- 680 g Flankensteak
- 60 ml Olivenöl

ANLEITUNG:

1. Das Flankensteak sollte in einen großen Beutel gelegt werden.
2. Olivenöl, Ananasstücke, Johannisbeergelee, Pfeffer, Salz und Currypulver vermischen.
3. Legen Sie das Flankensteak auf diese Mischung.
4. Vier Stunden lang in den Kühlschrank stellen.
5. Befolgen Sie nach dem Einfüllen der Holzpellets in den Räucherofen die Startanweisungen des Geräts. Schließen Sie den Deckel des Smokers und heizen Sie ihn auf 180°Cr.
6. Wenn Sie das Steak zubereiten, nehmen Sie es 30 Minuten vor der Zubereitung aus dem Kühlschrank.
7. Die Steaks sollten zugedeckt 10 Minuten von jeder Seite oder bis zum gewünschten gargrad gegrillt werden, nachdem sie auf den Grill gelegt wurden.
8. Nehmen Sie das gebratene Essen vom Grill und lassen Sie es 10 Minuten abkühlen.

NÄHRWERTE: Kalorien: 200, Kohlenhydrate: 0g, Fett: 7g, Eiweiß: 33g

Gepökelte geräucherte Rinderbrust

Zubereitungszeit: 30 Minuten

Kochzeit: 7 Stunden 30 Minuten

Portionen: 6

Bevorzugte Holzpellets: Hartholz Mesquite

ZUTATEN:

- 250 ml brauner Zucker
- 100 g Salz
- Ein flach geschnittenes Bruststück
- 60 g Traeger-Rindfleisch-Rub

ANLEITUNG:

1. Zucker und Salz in 6 Liter kochendem Wasser schmelzen, um die Salzlake herzustellen.
2. Legen Sie das Bruststück in die Lösung, nachdem Sie es bei Raumtemperatur abkühlen ließen.
3. Die Brühe in den Kühlschrank stellen und 12 Stunden lang marinieren lassen.
4. Das Bruststück sollte aus der Lake genommen und mit Papiertüchern abgetrocknet werden.
5. Geben Sie etwas Traeger Beef Rub hinzu und reiben Sie es ein, bis alle Oberflächen bedeckt sind.
6. Heizen Sie den Grill auf 120°C an, wenn Sie bereit sind zu kochen.
7. Den Topf abdecken und 15 Minuten kochen lassen.
8. Die Rinderbrust wird auf den Grillrost gelegt und vier Stunden lang gegart.
9. Die Rinderbrust weitere drei Stunden bei 135°C garen, nachdem sie zweimal in Folie eingewickelt wurde.
10. Die Rinderbrust sollte ausgepackt und weitere 30 Minuten gegrillt werden.
11. Vor dem Schneiden abkühlen lassen.

NÄHRWERTE: Kalorien: 364, Eiweiß: 48,7 g, Kohlenhydrate: 16,6 g, Fett: 11,6 g, Zucker: 12,3 g

Steak mit Kakao überzogen für zwei

Zubereitungszeit: 50 Minuten

Kochzeit: 1 Stunde

Portionen: 4

Bevorzugte Holzpellets: Aprikose oder Erle

ZUTATEN:

- 2 ganze Rib-Eye-Braten, zurechtgeschnitten
- 250 ml Traeger Coffee Rub
- 60 g Kakaopulver

ANLEITUNG:

1. Den Braten in 2 1/2 cm dicke Scheiben schneiden. 2 Steaks, die zur Seite gelegt und zur späteren Verwendung eingefroren werden sollten.
2. In einer Schüssel das Kakaopulver und den Traeger Coffee Rub vermischen. Die Rub-Mischung kann zum milden Würzen der Steaks verwendet werden. Die übrig gebliebene Rub-Mischung sollte für eine spätere Verwendung aufbewahrt werden.
3. Stellen Sie Ihren Smoker auf 100°C und lassen Sie den Deckel 15 Minuten lang offen.
4. Verwenden Sie Traeger Beef Rub zum Würzen der Steaks.
5. Legen Sie das Fleisch auf den Grill und lassen Sie es eine Stunde lang rauchen.
6. Die Steaks sollten vom Grill genommen und ruhen gelassen werden.
7. Vor dem Servieren die Steaks herausnehmen und 5 Minuten abkühlen lassen.

NÄHRWERTE: Kalorien: 6404, Fett: 55g, Kohlenhydrate: 2g, Eiweiß: 63g

Geräucherte Rib-Eye-Kappen

Zubereitungszeit: 5 Minuten

Kochzeit: 1 Stunde

Portionen: 4

Bevorzugte Holzpellets: Aprikose oder Erle

ZUTATEN:

- 680 g Rib-Eye-Kappe, zurechtgeschnitten
- 2 Esslöffel Traeger Beef Rub
- 2 Esslöffel Traeger Coffee Rub

ANLEITUNG:

1. Die Kappe zu Steaks aufrollen, nachdem sie in 4 gleich große Stücke geschnitten wurde. Zum Befestigen mit Fleischerschnur zusammenbinden.
2. Die Steaks sollten sanft mit der Einreibemischung gewürzt werden, nachdem die beiden Einreibungen in einer kleinen Schüssel vermischt wurden.
3. Stellen Sie Ihren Smoker auf 100°C und lassen Sie den Deckel 15 Minuten lang offen.
4. Verwenden Sie Traeger Beef Rub zum Würzen der Steaks.
5. Legen Sie die Steaks auf den Grill und lassen Sie sie eine Stunde lang rauchen.
6. Die Steaks sollten vom Grill genommen und ruhen gelassen werden.
7. Vor dem Servieren die Steaks herausnehmen und 5 Minuten abkühlen lassen.

NÄHRWERTE: Kalorien: 764, Fett: 50g, Kohlenhydrate: 21g

BBQ-Rindsbrust mit Kaffeerub

Zubereitungszeit: 20 Minuten

Kochzeit: 9 Stunden

Portionen: 10

Bevorzugte Holzpellets: Hartholz Mesquite

ZUTATEN:

- 2300 g ganze Packerbrust
- Zwei Esslöffel Traeger Coffee Rub
- 250 ml Wasser
- Zwei Esslöffel Salz

ANLEITUNG:

1. Das Bruststück zuschneiden und die Haut entfernen.
2. Lassen Sie an der Unterseite eine Lücke von 0,6 cm.
3. Mischen Sie das Kaffeemehl, das Wasser und das Salz in einer Schüssel, bis es sich aufgelöst hat.
4. Die Rinderbrust mit der Gewürzmischung würzen und 3 Stunden im Kühlschrank ruhen lassen.
5. Wenn Sie bereit sind zu kochen, heizen Sie den Grill auf 120 C°.
6. Den Deckel schließen und 15 Minuten lang erhitzen.
7. Die Rinderbrust auf den Grillrost legen und den Deckel schließen.
8. 6 Stunden lang kochen oder bis die Innentemperatur 70°C erreicht.
9. Die Rinderbrust in Alufolie einwickeln und die Temperatur auf 130°C erhöhen.
10. Weitere 3 Stunden kochen.

NÄHRWERTE: Kalorien: 352, Eiweiß: 47 g, Kohlenhydrate: 0 g, Fett: 16,7 g, Zucker: 0 g

Geräuchertes Texas BBQ-Rindsfilet

Zubereitungszeit: 30 Minuten

Kochzeit: 5 Stunden

Portionen: 4

Bevorzugte Holzpellets: Mesquite

ZUTATEN:

- 2700 g ganze Packerbrust
- Handelsübliches BBQ-Rub Ihrer Wahl

ANLEITUNG:

1. Das Bruststück von allen Häuten befreien und das Fett abschneiden.
2. Schneiden Sie die Fettseite auf eine Dicke von 6 mm.
3. Nach dem Auftragen des BBQ-Rubs auf alle Ränder der Rinderbrust 30 Minuten lang im Kühlschrank ruhen lassen.
4. Heizen Sie den Grill auf 120°Can, wenn Sie bereit sind zu kochen.
5. Nach dem Verschließen des Deckels die Speisen 15 Minuten lang garen.
6. Wenn die Innentemperatur des Bruststücks 75°C erreicht hat, legen Sie es auf den Grillrost und lassen es fünf Stunden lang garen.
7. Nach dem Garen nehmen Sie die Brust vom Grill und lassen sie vor dem Aufschneiden ruhen.

NÄHRWERTE: Kalorien: 703, Eiweiß: 93,9 g, Kohlenhydrate: 0 g, Fett: 33,4 g, Zucker: 0 g

Pastrami Short Ribs

Zubereitungszeit: 30 Minuten

Kochzeit: 3 Stunden 30 Minuten

Portionen: 4

Bevorzugte Holzpellets: Hartholz Apfel

ZUTATEN:

- 2 Quarts Wasser
- 85 g Salz
- Zwei Teelöffel rosa Salz
- 60 g brauner Zucker
- Vier Knoblauch
- Vier Esslöffel Koriandersamen
- Drei Esslöffel Pfefferkörner
- Zwei Teelöffel Senfkörner
- Zwei Esslöffel natives Olivenöl extra
- Ein großes Ginger Ale
- 900 g kurze Rippen vom Rind

ANLEITUNG:

1. In einer großen Schüssel alle Zutaten außer dem Öl, dem Ginger Ale und den Short Ribs vermengen.
2. Alles gut vermischen. Zuletzt die kurzen Rippen hinzufügen.
3. Die Rippchen mindestens 12 Stunden lang im Kühlschrank marinieren lassen.
4. Heizen Sie den Grill auf 150°C an, wenn Sie bereit sind zu kochen.
5. Den Topf abdecken und 15 Minuten kochen lassen.
6. Die kurzen Rippen auf den Grillrost legen und zwei Stunden lang räuchern. In der letzten halben Stunde der Garzeit etwas Öl auftragen.
7. Die Rippchen in einen Bräter geben und mit ausreichend Ginger Ale bedecken.
8. Die Pfanne mit Folie umwickeln.
9. Auf den Grill legen, die Temperatur auf 180°C erhöhen und 1 1/2 Stunden garen.

NÄHRWERTE: Kalorien: 521, Eiweiß: 46,7 g, Kohlenhydrate: 16,9 g, Fett: 30,1 g, Zucker: 13,7 g

Bloody Mary Flankensteak

Zubereitungszeit: 5 Minuten

Kochzeit: 15 Minuten

Portionen: 3

Bevorzugte Holzpellets: Hartholz Apfel

ZUTATEN:

- 950 ml Traeger Smoked Bloody Mary Mix
- 120 ml Wodka
- 1 ganze Zitrone, entsaftet
- 3 Knoblauchzehen, gehackt
- 1 Esslöffel Worcestershire-Sauce
- 1 Teelöffel gemahlener schwarzer Pfeffer
- 1 Teelöffel Staudenselleriesalz
- 120 ml Pflanzenöl
- 0,7 g Flankensteak

ANLEITUNG:

1. Alle Zutaten, außer dem Flankensteak, in eine Schüssel geben. Mischen, bis alles gut vermischt ist.
2. Das Flankensteak in eine Plastiktüte geben und mit der Hälfte der Marinade übergießen.
3. Mindestens 24 Stunden im Kühlschrank marinieren.
4. Wenn Sie bereit sind zu kochen, heizen Sie den Grill auf 250°C.
5. Das Flankensteak abtropfen lassen und mit einem Papiertuch trocken tupfen.
6. Auf jeder Seite 7 Minuten garen.
7. In der Zwischenzeit die restliche Marinade (nicht verwendet) in einen Topf geben und erhitzen, bis die Sauce eindickt.
8. Vom Grill nehmen und vor dem Aufschneiden 5 Minuten ruhen lassen.
9. Die Sauce darüber gießen.

NÄHRWERTE: Kalorien: 719, Eiweiß: 51,9 g, Kohlenhydrate: 15,4 g, Fett: 51 g, Zucker: 6,9 g

Geräucherte Mitternachtsbrust

Zubereitungszeit: 15 Minuten

Kochzeit: 10 Stunden

Portionen: 6

Bevorzugte Holzpellets: Hartholz Apfel

ZUTATEN:

- 1 Esslöffel Worcestershire-Sauce
- 1 Esslöffel Traeger-Rindfleisch-Rub
- 1 Esslöffel Traeger Chicken Rub
- 1 Esslöffel Traeger Blackened Saskatchewan Rub
- 2,3 kg flach geschnittenes Bruststück
- 250 ml Rinderbrühe

ANLEITUNG:

1. Reiben Sie die Sauce und die Einreibungen in einer Schüssel zusammen und reiben Sie das Fleisch mit der Mischung ein.
2. Heizen Sie Ihren Grill bei geschlossenem Deckel 15 Minuten lang auf 80°C vor. Sie können Super Smoke verwenden, wenn Sie möchten.
3. 6 Stunden lang grillen oder bis die Innentemperatur 70°C erreicht.
4. Nehmen Sie das Fleisch vom Grill und wickeln Sie es doppelt in Folie ein.
5. Rinderbrühe dazugeben und wieder auf den Grill legen, wobei die Temperatur auf 100°C erhöht wird. 4 Stunden lang kochen.
6. Vom Grill nehmen und servieren.

NÄHRWERTE: Kalorien 200, Gesamtfett 14g, Eiweiß 14g, Zucker 0g, Ballaststoffe 0g, Natrium: 680mg

Geräucherte Rinderrippen

Zubereitungszeit: 25 Minuten

Kochzeit: 4 bis 6 Stunden

Portionen: 4 bis 8

Bevorzugte Holzpellets: Hartholz Apfel

ZUTATEN:

- 2 (0,9-1,4 kg) Rinderrippchen
- 2 Esslöffel gelber Senf
- 1 Charge Süßer und würziger Zimtrub

ANLEITUNG:

1. Legen Sie Holzpellets für Ihren Smoker bereit und befolgen Sie die Anweisungen des Herstellers, um ihn in Betrieb zu nehmen. Lassen Sie Ihren Grill bei geschlossenem Deckel bis auf 100°C aufheizen.
2. Entfernen Sie die Membran von der Unterseite der Rippen. Dazu die Membran X-förmig einschneiden und dann mit einem Papiertuch von den Rippen abziehen.
3. Die Rippchen mit Senf bestreichen und mit dem Rub würzen. Das Rub mit beiden Händen in das Fleisch einarbeiten.
4. Legen Sie die Rippchen auf den Grillrost und räuchern Sie sie, bis sie eine Innentemperatur von 90° bis 95°C erreicht haben.
5. Die Rippchen nach dem Herausnehmen schneiden. Sofort servieren.

NÄHRWERTE: Kalorien: 230, Kohlenhydrate: 0g, Fett: 17g, Eiweiß: 20g

Rundes und vollständiges Brisket

Zubereitungszeit: 1 Stunde

Kochzeit: 11 Stunden

Portionen: 14

Bevorzugte Holzpellets: Eiche oder Erle

ZUTATEN:

- Apfelessig
- 2 Teelöffel Cayennepfeffer
- 2 Esslöffel gemahlener Koriander
- 2 Esslöffel Oregano
- 2 Esslöffel Zwiebelpulver
- 4 Esslöffel gemahlener Kreuzkümmel
- 4 Esslöffel schwarzer Pfeffer, gemahlen
- 6 Esslöffel Salz
- 6 Esslöffel Chilipulver
- 100 g geräucherter Paprika
- 100 g brauner Zucker
- 5,4 kg ungesalzenes Rindfleisch-Bruststück

ANLEITUNG:

1. Nehmen Sie das Bruststück aus der Verpackung und tupfen Sie es mit Handtüchern trocken; säubern Sie das Gewebe vorsichtig von der mageren Seite.
2. Das Bruststück in eine große Pfanne geben
3. Verwenden Sie eine Schüssel und mischen Sie alle Gewürze; bestreichen Sie alle Seiten des Bruststücks großzügig mit den Gewürzen.
4. Abdecken Sie esund lassen Sie es 4 Stunden lang im Kühlschrank ruhen.
5. Nehmen Sie Ihre Auffangschale, geben Sie Wasser hinein und decken Sie sie mit Alufolie ab. Heizen Sie den Smoker auf 100°C vor.
6. Füllen Sie die Wasserwanne bis zur Hälfte mit Wasser und stellen Sie sie über die Auffangschale. Holzspäne in die Seitenschale geben
7. Das Bruststück herausnehmen und abkühlen lassen
8. Brisket auf die mittlere Schiene des Smokers legen und 9 Stunden lang räuchern, bis die Innentemperatur 95°C erreicht. Auf ein Schneidebrett legen und mit Folie verschließen; 2 Stunden ruhen lassen.
9. In Scheiben schneiden und servieren. Guten Appetit!

NÄHRWERTE: Kalorien: 381, Fett: 30g, Kohlenhydrate: 1g, Eiweiß: 24g

Texas Smoked Up Brisket

Zubereitungszeit: 5 Minuten + 24 Stunden Marinierzeit

Kochzeit: 13 Stunden

Portionen: 16

Bevorzugte Holzpellets: Eiche oder Erle

ZUTATEN:

- 60 g Paprika
- 60 g weißer Zucker
- 60 g gemahlener Kreuzkümmel
- 60 g Cayennepfeffer
- 60 g brauner Zucker
- 60 g Chilipulver
- 60 g Zwiebelpulver
- 60 g koscheres Salz
- 60 g frisch gemahlener schwarzer Pfeffer
- 4,5 kg Rinderbrust
- 2 Esslöffel Knoblauchpulver

ANLEITUNG:

1. In einer Schüssel Paprika, Kreuzkümmel, weißen Zucker, Cayennepfeffer, Chilipulver, braunen Zucker, Knoblauchpulver, Salz, Zwiebelpulver und schwarzen Pfeffer vermischen.
2. Sobald die Mischung fertig ist, reiben Sie den Brustkorb damit ein und lassen ihn 24 Stunden lang im Kühlschrank abkühlen.
3. Nehmen Sie Ihre Tropfschale und geben Sie Wasser hinein; decken Sie sie mit Alufolie ab. Heizen Sie den Smoker auf 105°C vor.
4. Füllen Sie die Wasserwanne bis zur Hälfte mit Wasser und stellen Sie sie über die Auffangschale. Holzspäne in die Seitenschale geben
5. Räuchern Sie die Rinderbrust im Räucherofen, bis das Fleisch eine Innentemperatur von 75°C erreicht hat.

6. Sobald sie fertig sind, wickeln Sie sie mit Fleischerpapier oder schwerer Alufolie ein und legen sie wieder in den Räucherofen.
7. Eine weitere Stunde kochen, bis die Innentemperatur auf 85°C gestiegen ist.
8. Heiß servieren

NÄHRWERTE: Kalorien: 228, Fette: 6,7 g, Kohlenhydrate: 16,2 g, Ballaststoffe: 2,6 g

Umgekehrt gebratener Tri-Tip

Zubereitungszeit: 10 Minuten

Kochzeit: 3 Stunden

Portionen: 4

Bevorzugte Holzpellets: Aprikose oder Erle

ZUTATEN:

- 680 g Tri-Tip-Braten
- 1 Charge Espresso-Rindsbraten-Rub

ANLEITUNG:

1. Füllen Sie Ihren Smoker mit Holzpellets und befolgen Sie die spezifischen Anweisungen des Herstellers zur Inbetriebnahme. Lassen Sie den Grill bei geschlossenem Deckel auf 80°C vorheizen.
2. Den Tri-Tip-Braten mit dem Rub würzen. Mit beiden Händen das Rub in das Fleisch einarbeiten.
3. Das Fleisch direkt auf den Grillrost legen und räuchern, bis die Innentemperatur 60°C erreicht.
4. Erhöhen Sie die Temperatur des Grills auf 230°C und garen Sie den Braten, bis die Innentemperatur 65°C erreicht.
5. Den Tri-Tip-Braten vom Grill nehmen und 10 bis 15 Minuten ruhen lassen, bevor er in Scheiben geschnitten und serviert wird.

NÄHRWERTE: Kalorien: 290, Kohlenhydrate: 5g, Fett: 18g, Eiweiß: 30g

Gebratene Rib-Eye-Steaks

Zubereitungszeit: 5 Minuten

Kochzeit: 1 Stunde

Portionen: 2

Bevorzugte Holzpellets: Aprikose oder Erle

ZUTATEN:

- 2 (3,8 cm dicke) Rib-Eye-Steaks
- Meat Church Gourmet-Knoblauch-Kräutergewürz
- Meat Church Holy Cow BBQ Rub
- 2 Esslöffel Butter

ANLEITUNG:

1. Heizen Sie den Räucherofen bei geschlossenem Deckel für 15 Minuten auf 105°C vor.
2. Die Steaks mit Meat Church Gourmet-Knoblauch-Kräutergewürz und Meat Church Holy Cow BBQ Rub würzen.
3. Die Steaks direkt auf den Grill legen und 60 Minuten lang räuchern.
4. Die Steaks vom Grill nehmen und zum Ruhen beiseite stellen.
5. Die Steaks herausnehmen und vor dem Servieren 5 Minuten abkühlen lassen.

NÄHRWERTE: Kalorien: 764, Fett: 55g, Kohlenhydrate: 2g, Eiweiß: 63g

GEFLÜGEL REZEPT

Buffalo Chicken Wings

Zubereitungszeit: 15 Minuten

Kochzeit: 25 Minuten

Bevorzugte Holzpellets: Eiche oder Erle

Portionen: 6

ZUTATEN:

- 900 g Hähnchenflügel
- 100 g süßer, pikanter Trockenabrieb
- 160 ml Büffelsauce
- Sellerie, gewürfelt

ANLEITUNG:

1. Starten Sie Ihren Holzpelletgrill.
2. Stellen Sie ihn auf 230°C ein.
3. Die Hähnchenflügel mit dem Trockenreiben bestreuen.
4. Auf den Grillrost legen.
5. Pro Seite 10 Minuten garen.
6. Mit Büffelsauce bestreichen.
7. Weitere 5 Minuten grillen.
8. Jeden Flügel in die Büffelsauce tauchen.
9. Den Staudensellerie darüber streuen.

NÄHRWERTE: Kalorien 935, Gesamtfett 53g, Gesättigtes Fett 15g, Eiweiß 107g, Natrium 320mg

Süß-saures Huhn

Zubereitungszeit: 30 Minuten

Kochzeit: 3 Stunden

Portionen: 4

Bevorzugte Holzpellets: Eiche oder Erle

ZUTATEN:

- Acht Hühnerkeulen
- 60 ml Sojasauce
- 250 ml Ketchup
- Zwei Esslöffel Reisweinessig
- Zwei Esslöffel Zitronensaft
- Zwei Esslöffel Honig
- Zwei Esslöffel Knoblauch, gehackt
- Zwei Esslöffel Ingwer, gehackt
- Ein Esslöffel süß-würziger Trockenabrieb
- Drei Esslöffel brauner Zucker

ANLEITUNG:

1. Alle Zutaten für die Sauce hinzufügen.
2. Gründlich mischen.
3. Die Hälfte der Mischung in eine andere Schüssel umfüllen und kühl stellen.
4. Das Hähnchen in die Schüssel mit der restlichen Sauce geben.
5. Durch Schwenken gleichmäßig verteilen.
6. Abdecken und 4 Stunden lang im Kühlschrank marinieren.
7. Starten Sie den Grill mit Holzpellets.
8. Lass es rauchen.
9. Stellen Sie den Thermostat auf 105 C° ein.
10. Das Huhn drei Stunden lang räuchern.
11. Das Hähnchen mit der beiseite gestellten Sauce servieren.

NÄHRWERTE: Kalorien 935, Gesamtfett 53g, Gesättigtes Fett 15g, Eiweiß 107g, Natrium 320mg

Geräuchertes Hähnchen mit perfektem Geflügel-Rub

Zubereitungszeit: 20 Minuten

Kochzeit: 3 Stunden 15 Minuten.

Portionen: 2

Bevorzugte Holzpellets: Aprikose oder Erle

ZUTATEN:

- 2 Esslöffel Zwiebel, Pulver
- 60 g schwarzer Pfeffer, frisch gemahlen
- 2 Esslöffel trockener Senf
- 175 g Paprika
- 1800 g Huhn
- 2 Zitronen
- 2 Teelöffel Cayennepfeffer
- 60 g Zucker
- 60 g Staudensellerie
- Salz

ANLEITUNG:

1. Zwiebelpulver, Paprika, schwarzen Pfeffer, Cayennepfeffer, trockenen Senf, Sellerie, Salz, Zucker und 2 Zitronen in einer Schüssel vermengen.
2. Schneiden Sie das Hähnchen teilweise ein, bevor Sie es mit der Gewürzmischung

einreiben, damit die Aromen besser einziehen können.

3. Den Grill 15 Minuten lang auf 100°C vorheizen.
4. Das Huhn sollte drei Stunden lang geräuchert werden oder bis es auf dem vorbereiteten Grill eine Innentemperatur von 70°C erreicht.
5. Nachdem das Huhn abgekühlt ist, servieren Sie es.

NÄHRWERTE: Kalorien: 255 kcal, Eiweiß: 35 g, Kohlenhydrate: 42 g, Fett: 35 g.

Hähnchen-Lollis

Zubereitungszeit: 30 Minuten

Kochzeit: 2 Stunden 15 Minuten

Portionen: 6

Bevorzugte Holzpellets: Eiche oder Erle

ZUTATEN:

- 12 Hühnerlutscher
- Hühnergewürz
- Zehn Esslöffel Butter, in 12 Würfel geschnitten
- 250 ml Barbecue-Sauce
- 250 ml scharfe Sauce

ANLEITUNG:

1. Starten Sie den Grill mit Holzpellets.
2. Stellen Sie die Temperatur auf 150°C ein.
3. Dann das Huhn mit dem Hühnergewürz würzen.
4. Das Hähnchen auf ein Backblech legen.
5. Jeder Lutscher sollte einen Butterwürfel obenauf haben.
6. Alle 20 Minuten die Hühnerlutscher in der Pfanne mit geschmolzener Butter begießen, während sie zwei Stunden lang garen.
7. Die scharfe Sauce und die Barbecue-Sauce über das Huhn träufeln.
8. 15 Minuten lang grillen.

NÄHRWERTE: Kalorien 935, Gesamtfett 53g, Gesättigtes Fett 15g, Eiweiß 107g, Natrium 320mg

Asian Wings

Zubereitungszeit: 30 Minuten

Kochzeit: 1 Stunde 20 Minuten

Portionen: 6

Bevorzugte Holzpellets: Eiche oder Erle

ZUTATEN:

- Ein Teelöffel Honig
- Ein Teelöffel Sojasauce
- Zwei Teelöffel Reisessig
- 120 ml Hoisin-Sauce
- Zwei Teelöffel Sesamöl
- Ein Teelöffel Ingwer, gehackt
- Ein Teelöffel Knoblauch, gehackt
- Ein Teelöffel grüne Zwiebel, gehackt
- 250 ml heißes Wasser
- 900 g Hähnchenflügel gehäutet

ANLEITUNG:

1. Alle Zutaten für die Soße in einer großen Schüssel vermengen. Gut mischen.
2. 1/3 der Sauce in eine andere Schüssel umfüllen und kaltstellen.
3. Die Hähnchenflügel in die restliche Sauce geben.
4. Abdecken und 2 Stunden in den Kühlschrank stellen.
5. Schalten Sie Ihren Holzpelletgrill ein.
6. Stellen Sie ihn auf 150°C ein.
7. Die Flügel in einen Grillkorb legen. 1 Stunde lang garen.
8. Die reservierte Sauce in einer Pfanne erhitzen.
9. Zum Kochen bringen und dann 10 Minuten köcheln lassen.
10. Das Hähnchen mit der restlichen Sauce bestreichen.
11. Weitere 10 Minuten grillen.
12. Vor dem Servieren 5 Minuten ruhen lassen.

NÄHRWERTE: Kalorien 935, Gesamtfett 53g, Gesättigtes Fett 15g, Eiweiß 107g, Natrium 320mg

Zitronenhähnchen im Folienbeutel

Zubereitungszeit: 5 Minuten

Zubereitungszeit: 25 Minuten

Portionen: 4

Bevorzugte Holzpellets: Eiche oder Erle

Zutaten:

- Vier Hühnerfilets
- Drei Esslöffel geschmolzene Butter
- Ein Knoblauch, gehackt
- 1-1/2 Teelöffel getrocknetes italienisches Gewürz
- Salz und Pfeffer nach Geschmack
- Eine Zitrone, in Scheiben geschnitten

ANLEITUNG:

1. Schalten Sie Ihren Holzpelletgrill ein.
2. Bei geöffnetem Deckel 5 Minuten lang brennen lassen.
3. Auf 230°C vorheizen.
4. Das Hähnchenfilet auf die Folienblätter legen.
5. Butter, Knoblauch, Gewürze, Salz und Pfeffer in einer Schüssel vermengen.
6. Das Huhn mit dieser Mischung bestreichen.
7. Die Zitronenscheiben darauflegen.
8. Das Huhn in die Folie einwickeln.
9. Jede Seite 7 bis 10 Minuten pro Seite grillen.

Nährwerte: Kalorien 935, Gesamtfett 53g, Gesättigtes Fett 15g, Eiweiß 107g, Natrium 320mg

Süßes und pikantes Huhn

Zubereitungszeit: 30 Minuten

Kochzeit: 40 Minuten

Portionen: 4

Bevorzugte Holzpellets: Eiche oder Erle

ZUTATEN:

- 16 Hähnchenflügel
- Drei Esslöffel Limettensaft
- Eine süß-würzige Einreibung

ANLEITUNG:

1. Hähnchenflügel in eine Backform legen.
2. Den Limettensaft über die Flügel gießen.
3. Die Flügel mit den Gewürzen bestreuen.
4. Stellen Sie Ihren Holzpelletgrill auf 170 C° ein.
5. Die Hähnchenflügel auf den Grill legen.
6. 20 Minuten pro Seite grillen.

NÄHRWERTE: Kalorien 935, Gesamtfett 53g, Gesättigtes Fett 15g, Eiweiß 107g, Natrium 320mg

Geräucherte gefüllte Avocado mit zerkleinertem Hähnchen

Zubereitungszeit: 15 Minuten

Kochzeit: 35 Minuten

Portionen: 10

Bevorzugte Holzpellets: Hartholz Apfel

ZUTATEN:

- 1400 g reife Avocados
- Die Füllung:
- 1000 g Pulled Chicken
- 470 g geriebener Käse
- 300 ml Salsa
- 20 Wachteleier

ANLEITUNG:

1. Heizen Sie den Räucherofen vor dem Räuchern vor, bis er die richtige Temperatur erreicht hat.
2. Entfernen Sie die Kerne aus den reifen Avocados, nachdem Sie sie halbiert haben.
3. Geben Sie Pfirsichholzpellets in den Trichter eines Holzpellet-Räucherers, wenn dieser aufgewärmt ist. Entriegeln Sie den Deckel.
4. Den Räucherofen auf 190°C einstellen, dann den Deckel für etwa 10 Minuten schließen.
5. Während Sie auf den Räuchervorgang warten, kombinieren Sie die Salsa und die Käsereiben mit dem Hähnchenfleisch.
6. Die Hähnchen-Käse-Kombination sollte auf die Avocado gelegt werden, wobei die Mitte ungefüllt bleibt.
7. Die gefüllten Avocados werden in den Räucherschrank gelegt und 25 Minuten lang geräuchert.
8. Öffnen Sie den Deckel 25 Minuten später.
9. Ein aufgeschlagenes Wachtelei in die Mitte der Avocados geben.
10. Die Avocado noch einmal 10 Minuten räuchern oder bis die Eier gar sind.

11. Die geräucherten Avocados nach Beendigung des Räucherns aus dem Ofen nehmen und auf einer Servierplatte anrichten.
12. Sofort genießen.

NÄHRWERTE: Kalorien: 350, Fett: 20g, Kohlenhydrate: 18g, Eiweiß: 25g

Teriyaki geräucherte Trommelstöcke

Zubereitungszeit: 15 Minuten (mehr Marinade über Nacht)

Kochzeit: 1,5 Stunden bis 2 Stunden

Portionen: 4

Bevorzugte Holzpellets: Mesquite

ZUTATEN:

- 750 ml Teriyaki-Marinade und Kochsauce wie Yoshida's Original Gourmet
- Hähnchengewürz 3 Teelöffel.
- 1 Teelöffel Knoblauchpulver
- 10 Hühnerkeulen

ANLEITUNG:

1. Die Marinade und die Kochsauce in einer mittelgroßen Schüssel mit dem Hühnergewürz und dem Knoblauchpulver vermischen.
2. Die Haut der Keule abziehen, damit die Marinade besser einziehen kann.
3. Hähnchenschenkel 1 Stunde lang marinieren lassen.
4. Nach 1 Stunde die Temperatur auf 175°C erhöhen und die Keule kochen, bis die dickste Stelle eine Innentemperatur von 80°C erreicht.
5. Die Hähnchenkeulen 15 Minuten vor dem Servieren unter das lose Folienzelt legen.

NÄHRWERTE: Kalorien: 280, Kohlenhydrate: 0g, Fett: 13g, Eiweiß: 35g

Bacon Candy Chicken Bites

Zubereitungszeit: 30 Minuten

Kochzeit: 1 Stunde

Portionen: 6-8

Bevorzugte Holzpellets: Eiche oder Erle

ZUTATEN:

- 450 g entbeinte, hautlose Hähnchenschenkel
- 12 Scheiben Speck (halbiert)
- 100 g brauner Zucker
- 2 Esslöffel Killer Hogs The BBQ Rub
- 2 Esslöffel Zucker
- 1/2 Teelöffel Cayennepfeffer

ANLEITUNG:

1. Bereiten Sie den Smoker oder Grill für indirektes Garen bei 190°C vor.
2. Jede Keule in Stücke schneiden. Jedes Stück mit einer halben Scheibe Speck umwickeln und mit einem Zahnstocher sichern.
3. Braunen Zucker, Barbecue-Rub, Zucker und Cayenne in einer kleinen Schüssel vermengen und das Hähnchen von allen Seiten mit dem Speck bestreuen, um es einzuwickeln.
4. Legen Sie die Hähnchenschenkel auf den Grill und braten Sie sie etwa 45 Minuten lang, bis der Speck dunkler wird und anhaftet.
5. Präsentieren Sie sie mit Ihren liebsten Soßen.

NÄHRWERTE: Kalorien: 71, Kohlenhydrate: 0g, Fett: 2g, Eiweiß: 12g

Monterey-Huhn

Zubereitungszeit: 5 Minuten

Kochzeit: 20 Minuten

Portionen: 8

Bevorzugte Holzpellets: Eiche oder Erle

ZUTATEN:

- 4 Hähnchenbrust (ohne Knochen/ohne Haut)
- 50 gr mexikanisches Gewürz Grande Gringo
- 350 g Speck (zerkrümelt)
- 100 g Monterey Jack-Käse
- 100 g Sharp Cheddar-Käse
- 250 ml Killer Hogs BBQ-Sauce
- 2 bis 3 grüne Zwiebeln (gehackt)

ANLEITUNG:

1. Den Räucherofen auf eine Temperatur von 160°C vorbereiten.
2. Das mexikanische Gewürz Grande Gringo auf die Hähnchenbrust auftragen.
3. Legen Sie die Hähnchenbrüste in den Räucherofen und Einstecken eines Thermometers zur Kontrolle der Innentemperatur
4. Die Hähnchenbrüste in eine flache Eisenpfanne geben und mit der Killer Hogs BBQ Sauce übergießen, sobald die Innentemperatur 68°C erreicht hat. Die Brüste garen, bis die Innentemperatur 75°C erreicht.
5. Zerbröselten Speck, Cheddar und Jack Cheddar auf die Oberseite jeder Brust geben. Weitere 3 bis 5 Minuten braten, oder bis der Käse oben geschmolzen ist.
6. Grüne Zwiebeln sollten vor dem Servieren zum Monterey Chicken gegeben werden.

NÄHRWERTE: Kalorien: 420, Kohlenhydrate: 43g, Fett: 15g, Eiweiß: 26g

Rauchgeröstete Hähnchenschenkel

Zubereitungszeit: 1 Stunde

Kochzeit: 2 Stunden

Portionen: 4 bis 6

Bevorzugte Holzpellets: Eiche oder Erle

ZUTATEN:

- 1350 g Hähnchenschenkel
- 2 Teelöffel Salz
- 2 Teelöffel frisch gemahlener schwarzer Pfeffer
- 2 Teelöffel Knoblauchpulver
- 2 Teelöffel Zwiebelpulver
- 950 ml zubereitetes italienisches Dressing

ANLEITUNG:

1. Das Hähnchen mit Salz, Pfeffer, Knoblauch- und Zwiebelpulver bestreuen und dabei darauf achten, dass es unter die Haut kommt.
2. Mit dem italienischen Dressing übergießen, so dass alle Seiten bedeckt sind, und 1 Stunde lang in den Kühlschrank stellen.
3. Garen Sie das Huhn und wenden Sie die Schenkel während des Räucherns nicht.

NÄHRWERTE: Kalorien: 260, Kohlenhydrate: 1g, Fett: 20g, Eiweiß: 19g

Mit Ahornholz geräucherte süß-würzige Flügel

Zubereitungszeit: 30 Minuten

Kochzeit: 11/2 Stunden

Portionen: 8-10

Bevorzugte Holzpellets: Ahorn

ZUTATEN:

- 2300 gHähnchenflügel
- 2 und 1/2 Esslöffel schwarzer Pfeffer
- 1 Esslöffel Zwiebelpulver
- 1 Esslöffel Knoblauchsalz
- 1 Esslöffel Paprika Sauce
- 250 ml Honig
- 120 ml scharfe BBQ-Sauce
- 3 Esslöffel Apfelsaft

ANLEITUNG:

1. Paprika, Honig, Zwiebelpulver und Knoblauchsalz in einer Schüssel mischen.
2. Die Flügel in einen Beutel mit der Gewürzmischung geben.
3. Schütteln, dann 30 Minuten ruhen lassen.
4. Legen Sie die Holzpellets Ihrer Wahl hinein und stellen Sie die Räuchertemperatur auf 120°C ein.
5. 30 Minuten Räuchern des Fleisches auf dem obersten Rost.
6. Danach schalten Sie um und setzen den Räuchervorgang für weitere 25 Minuten fort.
7. Nehmen Sie das Fleisch heraus, wenn die innere Rauchtemperatur 70°C erreicht hat.
8. Apfelsaft und Honig-BBQ-Sauce in einem Kochtopf vermengen und durchwärmen.
9. Die Flügel in eine Folienschale legen und mit der Sauce beträufeln.
10. Nochmals 25 Minuten im Räucherofen räuchern (zweiter Rost).
11. Servieren und genießen!

NÄHRWERTE: Kalorien 108, Fette 4g, Kohlenhydrate 9g, Eiweiß 7g

Gefüllte Rosmarin-Apfel-Räuchertruthahn-Mayo

Zubereitungszeit: 10 Minuten

Kochzeit: 3 Stunden

Portionen: 12

Bevorzugte Holzpellets: Aprikose oder Erle

ZUTATEN:

- Ganzer Truthahn (3,2 kg)

Die Glasur

- Mayonnaise - 120 ml

Die Reibe

- Koscheres Salz - 1 3/4 Teelöffel
- Brauner Zucker - 100 g
- Gemahlener Senf - 3 Esslöffel
- Schwarzer Pfeffer - 1 Esslöffel
- Zwiebelpulver - 2 Esslöffel
- Geräucherter Paprika - 60 g
- Gemahlener Kreuzkümmel - 1 Esslöffel
- Chilipulver - 2 Esslöffel
- Cayennepfeffer - 1 -Esslöffel
- Old Bay Gewürz - 1 Teelöffel

Die Füllung

- Frische grüne Äpfel - 2
- Frischer Rosmarin - 3 Zweige
- Frische Zitrone - 1

ANLEITUNG:

1. Bestreichen Sie den Truthahn mit Mayonnaise und lassen Sie ihn dann 30 Minuten ruhen.
2. Für den Rub alle Zutaten mischen.
3. Füllen Sie den Truthahn mit frischem Rosmarin, grünen Apfelscheiben und Zitronenscheiben.
4. Geben Sie die Holzpellets in den Trichter des Holzpellet-Räucherers und schließen Sie ihn an. Aktivieren Sie den Schalter.
5. Stellen Sie den Holzpellet-Smoker auf indirekte Hitze bei mittlerer Einstellung ein. Warten Sie, bis der Holzpellet-Smoker bereit ist.
6. Legen Sie den gefüllten Truthahn in den Holzpellet-Smoker und lassen Sie ihn drei Stunden lang garen.
7. Wenn es fertig ist, nehmen Sie es aus dem Holzpellet-Räucherofen heraus.
8. Nach dem Servieren genießen.

NÄHRWERTE: Kalorien: 94; Fett: 2g; Kohlenhydrate: 1g; Eiweiß: 18g

Süß geräucherte Putenflügel mit Cayennepfeffer-Rub

Zubereitungszeit: 10 Minuten

Kochzeit: 2 Stunden

Portionen: 10

Bevorzugte Holzpellets: Aprikose oder Erle

ZUTATEN:

- Putenflügel (1,8 kg)

Die Reibe

- Olivenöl - 60 ml
- Brauner Zucker - 100 g
- Geräucherter Paprika - 60 g
- Koscheres Salz - 1 Teelöffel

- Pfeffer - 1 Teelöffel
- Cayennepfeffer - 2 Teelöffel
- Knoblauchpulver - 2 Esslöffel
- Zwiebelpulver - 1 Esslöffel

Die Glasur

- Roher Honig - 3 Esslöffel

ANLEITUNG:

1. Geräucherte Paprika, koscheres Salz, Pfeffer, Cayennepfeffer, Knoblauchpulver und Zwiebelpulver in einer Schüssel mit dem braunen Zucker vermischen. Olivenöl in die Schüssel geben und verquirlen, bis eine Paste entsteht.
2. Die Putenflügel mit der Einreibung bestreichen und etwa eine Stunde lang ruhen lassen.
3. Geben Sie die Holzpellets in den Trichter des Holzpellet-Räucherers und schließen Sie ihn an. Aktivieren Sie den Schalter.
4. Die Putenflügel sollten in den Holzpellet-Räucherschrank gelegt und zwei Stunden lang gegart werden.
5. Danach die fertig geräucherten Hähnchenflügel mit Honig bestreichen und weitere fünf Minuten im Holzpellet-Räucherofen lassen.
6. Die glasierten Hähnchenflügel aus dem Holzpellet-Räucherofen nehmen und auf eine Servierplatte legen.
7. Nach dem Servieren genießen.

NÄHRWERTE: Kalorien: 94; Fett: 2g; Kohlenhydrate: 1g; Eiweiß: 18g

Chili geräucherte Putenkeulen Barbecue

Zubereitungszeit: 10 Minuten

Kochzeit: 2 Stunden

Portionen: 10

Bevorzugte Holzpellets: Aprikose oder Erle

ZUTATEN:

- Putenkeulen (2,3 kg)
- Koscheres Salz - 1 1/4 Teelöffel
- Pfeffer - 3/4 Teelöffel
- Olivenöl - 2 Esslöffel
- Ketchup - 250 ml
- Weißer Essig - 60 ml
- Brauner Zucker - 60 g
- Honig - 2 Esslöffel
- Geräucherter Paprika - 2 Esslöffel
- Chilipulver - 3/4 Esslöffel
- Knoblauchpulver - 2 Teelöffel
- Cayennepfeffer - 1/2 Teelöffel

ANLEITUNG:

1. Die Putenkeulen salzen und pfeffern, nachdem sie mehrmals eingeritzt wurden.
2. Geben Sie die Holzpellets in den Trichter des Holzpellet-Räucherers und schließen Sie ihn an. Aktivieren Sie den Schalter.
3. Die Putenkeulen werden in den Holzpellet-Räucherschrank gelegt und eineinhalb Stunden lang geräuchert.
4. In der Zwischenzeit das Olivenöl mit dem Ketchup, dem weißen Essig, dem braunen Zucker, dem Honig und dem geräucherten Paprika verquirlen.
5. Alle 15 Minuten die Putenkeulen noch einmal mit der Glasurmischung begießen.
6. Räuchern Sie die Putenkeulen eine weitere Stunde lang oder bis die Innentemperatur des geräucherten Truthahns 77°C erreicht.
7. Der geräucherte Truthahn sollte aus dem Holzpellet-Räucherofen genommen und mit der übrig gebliebenen Glasurmischung bestrichen werden.
8. Die geräucherten Putenkeulen sollten, nachdem sie in Alufolie eingewickelt wurden, etwa 30 Minuten ruhen.
9. Die geräucherten Putenkeulen sollten ausgepackt und auf eine Servierplatte gelegt werden.
10. Nach dem Servieren genießen.

NÄHRWERTE: Kalorien: 94; Fett: 2g; Kohlenhydrate: 1g; Eiweiß: 18g

Cola-Geräucherte Putenbrust

Zubereitungszeit: 10 Minuten

Kochzeit: 3 Stunden

Portionen: 10

Bevorzugte Holzpellets: Aprikose oder Erle

ZUTATEN:

- Putenbrust (3,2 kg)
- Scharfe Sauce - 120 ml
- Olivenöl - 60 ml
- Brauner Zucker - 250 ml
- Knoblauchpulver - 2 Esslöffel
- Schwarzer Pfeffer - 1 Esslöffel
- Gemahlener Oregano - 3 Esslöffel
- Koscheres Salz - 2 Teelöffel
- Frischer Rosmarin - 3 Zweige
- Knoblauch - 4 Nelken
- Cola - 1 Dose
- Ketchup - 120 ml
- Balsamico-Essig - 2 Esslöffel
- Worcestershire-Sauce - 3Tabs
- Zwiebelpulver - 2 Teelöffel
- Dijon-Senf - 3 Esslöffel
- Cayennepfeffer - 1/4 Teelöffel

ANLEITUNG:

1. Olivenöl, scharfe Soße, brauner Zucker, Knoblauchpulver, getrockneter Oregano, Salz und schwarzer Pfeffer sollten miteinander vermischt werden. Gründlich mischen.
2. Der Truthahn sollte mit der Gewürzmischung bedeckt werden und eine Stunde lang ruhen.
3. Um den Truthahn frisch zu halten, sollten Sie ihn nach Möglichkeit in den Kühlschrank stellen.
4. Legen Sie die Holzpellets in den Trichter des Holzpellet-Räucherers, nachdem Sie ihn angeschlossen haben. Aktivieren Sie den Schalter.
5. Legen Sie frischen Rosmarin und Knoblauchzehen in die Höhle des Truthahns, bevor Sie ihn in den Holzpellet-Räucherofen legen.
6. Der Truthahn sollte etwa dreieinhalb Stunden geräuchert werden.
7. In der Zwischenzeit die Cola und den Ketchup verrühren. Balsamico-Essig, Worcestershire-Sauce, Zwiebelpulver, Dijon-Senf und Cayennepfeffer unterrühren.
8. Der Truthahn sollte nach den ersten 30 Minuten des Räucherns und danach alle 30 Minuten mit der Cola-Glasur-Mischung bestrichen werden.
9. Der geräucherte Truthahn sollte aus dem Holzpellet-Räucherofen genommen und auf eine Servierplatte gelegt werden, wenn er fertig ist.
10. Solange der geräucherte Truthahn noch heiß ist, vor dem Servieren schnell mit der Colaglasur-Mischung bestreichen oder beträufeln.
11. Viel Spaß!

NÄHRWERTE: Kalorien: 94; Fett: 2g; Kohlenhydrate: 1g; Eiweiß: 18g

Truthahn mit Feigen-BBQ-Soße

Zubereitungszeit: 25 Minuten

Kochzeit: 2 Stunden und 30 Minuten

Portionen: 6 Personen

Bevorzugte Holzpellets: Aprikose oder Erle

ZUTATEN:

- Putenoberschenkel, ohne Fett - 6

Die Salzlake

- Kaltwasser – 3,5 liter
- Zucker - 100 g
- Lorbeerblätter - 2
- Thymianzweige - 2
- Pfefferkorn - 6
- Salz - 100 g

Die Reibe

- Ras el Hanout- 100 g
- Olivenöl - 6 Esslöffel

Die BBQ-Sauce

- Schwarze Feigen, geschält, geviertelt - 4
- Aprikosen-BBQ-Sauce - 250 ml
- Wasser - 3 Esslöffel

ANLEITUNG:

1. Der Truthahn sollte gepökelt werden, bevor der Grill angeheizt wird. Alle Zutaten für die Salzlake in einem großen Topf verrühren, bis Zucker und Salz vollständig aufgelöst sind.
2. Danach die Putenschenkel hineinlegen und mindestens 4 Stunden lang einweichen lassen.
3. Die Putenschenkel nach vier Stunden aus der Salzlake nehmen, gut waschen, abtrocknen und mit Olivenöl und Raps el hangout einmassieren.
4. Legen Sie die Putenschenkel nach dem Aufheizen auf den Grillrost und lassen Sie sie zwei Stunden lang räuchern.
5. Nach einer Stunde Räuchern kontrollieren Sie das Feuer und fügen bei Bedarf weitere Holzpaletten hinzu.
6. Bereiten Sie in der Zwischenzeit die BBQ-Sauce zu. Dazu einen kleinen Topf bei mittlerer Hitze erwärmen, die Feigen, die BBQ-Sauce und drei Esslöffel Wasser hinzufügen und 20 Minuten köcheln lassen, bis die Feigen weich sind.
7. Nach der Zubereitung die Feigen aus der Sauce nehmen und bis zur Verwendung aufbewahren.
8. Die gegarten Putenschenkel in eine Pfanne geben, die Temperatur auf 260°C erhöhen und den Grill vorheizen lassen.
9. Die Putenschenkel wieder auf den Grillrost legen, mit der vorbereiteten BBQ-Sauce bestreichen und mindestens 30 Minuten lang garen, dabei gelegentlich wenden, bis die Haut karamellisiert ist und die Innentemperatur 75 Grad erreicht.
10. Sofort servieren.

NÄHRWERTE: Kalorien: 94; Fett: 2g; Kohlenhydrate: 1g; Eiweiß: 18g

BBQ Truthahn im Ganzen

Zubereitungszeit: 25 Minuten

Kochzeit: 4 Stunden und 30 Minuten

Portionen: 6 Personen

Bevorzugte Holzpellets: Aprikose oder Erle

ZUTATEN:

- Ganzer Truthahn - 900 g
- Pökelsalz für Puten - 1 Packung
- Puten-Gewürzmischung - 250 ml
- Würzige BBQ-Sauce - 360 ml
- Butter, ungesalzen, erweicht - 120 ml

ANLEITUNG:

1. Der Truthahn sollte vor dem Anheizen des Grills nach den Anweisungen auf der Verpackung gepökelt werden.
2. Der Truthahn sollte dann aus der Salzlake genommen, gründlich abgespült, abgetrocknet und auf Raumtemperatur gebracht werden.
3. Für die Sauce in einer mittelgroßen Schüssel 120 ml würzige BBQ-Sauce und die Butter verquirlen.
4. Vergewissern Sie sich, dass die Haut zusammenhängt und intakt ist, bevor Sie die Haut mit den Händen von den Putenkeulen und -brüsten abziehen. Anschließend die vorbereitete Sauce gleichmäßig unter die Haut geben.
5. Danach die Außenseite des Vogels gut mit der Puteneinreibung massieren.
6. Legen Sie den ganzen Truthahn auf den Grillrost, nachdem er aufgeheizt ist, und lassen Sie ihn 30 Minuten lang rauchen.
7. Wenn das Bedienfeld eine Innentemperatur von 70°C anzeigt, erhöhen Sie die Temperatur des Grills auf 150°C; setzen Sie den Garvorgang für weitere 4 Stunden fort.
8. Nach einer Stunde Räuchern kontrollieren Sie das Feuer und fügen bei Bedarf weitere Holzpaletten hinzu.
9. Den Truthahn mit der restlichen BBQ-Sauce bestreichen und weitere 20 Minuten garen, bis er gut überzogen ist.
10. Nehmen Sie den Truthahn nach dem Garen vom Grill und lassen Sie ihn 25 Minuten ruhen.

11. Anschließend den Truthahn in Scheiben schneiden und sofort servieren.

NÄHRWERTE: Kalorien: 94; Fett: 2g; Kohlenhydrate: 1g; Eiweiß: 18g

Gegrilltes Hähnchen

Zubereitungszeit: 10 Minuten

Kochzeit: 1 Stunde und 10 Minuten

Portionen: 6

Bevorzugte Holzpellets: Eiche oder Erle

ZUTATEN:

- 2,3 kg ganzes Huhn
- 120 ml Öl
- Traeger-Hühnchen einreiben

ANLEITUNG:

1. Heizen Sie den Grill bei geöffnetem Deckel 5 Minuten lang vor. Schließen Sie den Deckel und lassen Sie ihn 15 Minuten lang warmlaufen oder bis er 230°C erreicht.
2. Die Hähnchenschenkel mit Bäckergarn zusammenbinden und mit Öl einreiben.
3. Das Hähnchen mit dem Rub bestreichen und auf den Grill legen.
4. 70 Minuten kochen (bei geschlossenem Deckel).
5. Das Hähnchen vom Grill nehmen.

NÄHRWERTE: Kalorien 935, Gesamtfett 53g, Gesättigtes Fett 15g, Eiweiß 107g, Natrium 320mg

Knuspriges und saftiges Hähnchen

Zubereitungszeit: 15 Minuten

Kochzeit: 5 Stunden

Portionen: 6

Bevorzugte Holzpellets: Eiche oder Erle

ZUTATEN:

- 175 ml dunkelbrauner Zucker
- 60 ml gemahlenes Espressopulver
- 1 Esslöffel gemahlener Kreuzkümmel
- 1 Esslöffel gemahlener Zimt
- 1 Esslöffel Knoblauchpulver
- 1 Esslöffel Cayennepfeffer
- Salz und frisch gemahlener schwarzer Pfeffer
- 1 (1,8 kg) ganzes Hähnchen, Hals und Innereien entfernt

ANLEITUNG:

- Den Grill auf 105°C einstellen und 15 Minuten lang bei geschlossenem Deckel garen.
- Braunen Zucker, Espressopulver, Gewürze, Salz und schwarzen Pfeffer in einer Schüssel vermischen.
- Viel von der Gewürzmischung über das Huhn streuen.
- Das Huhn drei bis fünf Stunden lang grillen.
- Vor dem Tranchieren das Huhn vom Grill nehmen und etwa 10 Minuten auf einem Schneidebrett ruhen lassen.
- Schneiden Sie das Huhn mit einem scharfen Messer in ausreichend große Stücke und servieren Sie es dann.

NÄHRWERTE: Kalorien: 540, Kohlenhydrate: 20.7g, Protein: 88.3g, Fett: 9.6g, Zucker: 18.1g, Natrium: 226mg, Ballaststoffe: 1.2g

Glasierte Hähnchenschenkel

Zubereitungszeit: 15 Minuten

Kochzeit: 30 Minuten

Portionen: 4

Bevorzugte Holzpellets: Eiche oder Erle

ZUTATEN:

- Zwei Knoblauchzehen, gehackt
- 60 ml Honig
- 2 Esslöffel Sojasauce
- 1/4 Teelöffel rote Paprikaflocken, zerstoßen
- 4 (140 g) Hähnchenschenkel ohne Haut und ohne Knochen
- 2 Esslöffel Olivenöl
- 2 Teelöffel süßer Rub
- 1/4 Teelöffel rotes Chilipulver
- Frisch gemahlener schwarzer Pfeffer, zum Abschmecken

ANLEITUNG:

1. Der Grill sollte 15 Minuten lang mit geschlossenem Deckel bei 200°C vorgeheizt werden.
2. Knoblauch, Honig, Sojasauce und rote Pfefferflocken in einer kleinen Schüssel mit einem Schneebesen gut verrühren.
3. Bestreuen Sie die Hähnchenschenkel mit schwarzem Pfeffer, süßem Rub und Chilipulver, nachdem Sie sie in Öl eingelegt haben.
4. Die Hähnchenkeulen mit der Hautseite nach unten auf den Grill legen und etwa 15 Minuten grillen.
5. Die Knoblauchmischung während der letzten 4-5 Minuten der Garzeit auf die Schenkel auftragen.
6. Sofort servieren.

NÄHRWERTE: Kalorien: 309, Kohlenhydrate: 18.7g, Protein: 32.3g, Fett: 12.1g, Zucker: 17.6g, Natrium: 504mg, Ballaststoffe: 0.2g

Gebratener Truthahn mit Kräutern

Zubereitungszeit: 15 Minuten

Kochzeit: 3 Stunden 30 Minuten

Portionen: 12

Bevorzugte Holzpellets: Hickory

ZUTATEN:

- 6 kg Truthahn, gereinigt
- 2 Esslöffel gehackte gemischte Kräuter
- Einreiben von Schweinefleisch und Geflügel nach Bedarf
- 1/4 Teelöffel gemahlener schwarzer Pfeffer
- 3 Esslöffel Butter, ungesalzen, geschmolzen
- 8 Esslöffel Butter, ungesalzen, erweicht
- 470 ml Hühnerbrühe

ANLEITUNG:

1. Der Truthahn wird gesäubert, indem man die Innereien entfernt, ihn von innen wäscht, mit Papiertüchern abtrocknet und auf eine Bratpfanne legt; die Flügel werden mit Metzgerfaden umwickelt.
2. Schalten Sie den Grill ein, indem Sie die Einschalttaste auf dem Bedienfeld drücken, den Grilltrichter mit Holzpellets mit Hickory-Aroma füllen, "Smoke" auf dem Temperaturregler wählen oder die Temperatur auf 165°C einstellen und mindestens 15 Minuten lang heizen lassen.
3. In der Zwischenzeit die Kräuterbutter in einer kleinen Schüssel schmelzen lassen, schwarzen Pfeffer und gemischte Kräuter hinzufügen und schaumig schlagen.
4. Geben Sie etwas von der vorbereiteten Kräuterbutter unter die Haut des Truthahns und massieren Sie die Haut, um die Butter gleichmäßig zu verteilen.
5. Die Flüssigkeit in den Bräter geben, mit Schweine- und Geflügelfleisch einreiben und die Außenseite des Truthahns mit der geschmolzenen Butter bestreichen.
6. Öffnen Sie den Grilldeckel, nachdem er aufgeheizt ist, stellen Sie den Bräter mit dem Truthahn auf den Grillrost, schließen Sie den Grill und räuchern Sie ihn drei Stunden und

dreißig Minuten lang, bis die Oberseite goldbraun geworden ist.

7. Wenn der Truthahn fertig ist, legen Sie ihn auf ein Schneidebrett, lassen ihn 30 Minuten ruhen, schneiden ihn in Scheiben und servieren ihn.

NÄHRWERTE: Kalorien: 154,6; Fett: 3,1 g; Kohlenhydrate: 8,4 g; Eiweiß: 28,8 g

Putenschenkel

Zubereitungszeit: 10 Minuten

Kochzeit: 5 Stunden

Portionen: 4

Bevorzugte Holzpellets: Hickory

ZUTATEN:

- 4 Putenschenkel

Für die Salzlake:

- 120 ml Pökelsalz
- 1 Esslöffel ganze schwarze Pfefferkörner
- 240 ml BBQ-Rub
- 120 ml brauner Zucker
- 2 Lorbeerblätter
- 2 Teelöffel Flüssigrauch
- 3,8 l warmes Wasser
- 900 ml Eis
- 1,9 l kaltes Wasser

ANLEITUNG:

1. Für die Salzlake einen großen Topf mit warmem Wasser füllen, auf hohe Hitze stellen, Pfefferkörner, Lorbeerblätter und Flüssigrauch hinzufügen, Salz, Zucker und BBQ-Rub einrühren und zum Kochen bringen.
2. Vom Herd nehmen und auf Zimmertemperatur bringen. Dann kaltes Wasser und Eiswürfel hinzufügen und die Sole im Kühlschrank abkühlen lassen.
3. Dann die Putenkeulen hinzugeben, vollständig eintauchen und 24 Stunden lang im Kühlschrank einweichen lassen.
4. Die Putenkeulen nach 24 Stunden aus der Salzlake nehmen, gut abspülen und mit Papiertüchern trocken tupfen.
5. Legen Sie den Grill an, indem Sie das Bedienfeld verwenden, "Rauch" auf dem Temperaturregler wählen oder die Temperatur auf 120°C einstellen und den Grill mindestens 15 Minuten lang warmlaufen lassen.
6. Sobald der Grill heiß ist, den Deckel öffnen, die Putenkeulen auf den Grillrost legen, den Grill schließen und fünf Stunden lang räuchern, oder bis die Pute gut gebräunt ist und die Innentemperatur 70°C erreicht. Sofort servieren.

NÄHRWERTE: Kalorien: 416; Fett: 13,3 g; Kohlenhydrate: 0 g; Eiweiß: 69,8 g

Entbeinte Putenbrust

Vorbereitungszeit: 12 Stunden

Kochzeit: 8 Stunden

Portionen: 6

Bevorzugte Holzpellets: Holz mit Apfelgeschmack

ZUTATEN:

Für die Salzlake:

- 900 g Putenbrust, entbeint
- 2 Esslöffel gemahlener schwarzer Pfeffer
- 60 ml Salz
- 240 ml brauner Zucker
- 950 ml kaltes Wasser

Für das BBQ-Rub:

- 2 Esslöffel getrocknete Zwiebeln
- 2 Esslöffel Knoblauchpulver
- 60 ml Paprika
- 2 Esslöffel gemahlener schwarzer Pfeffer
- 1 Esslöffel Salz
- 2 Esslöffel brauner Zucker
- 2 Esslöffel rotes Chilipulver
- 1 Esslöffel Cayennepfeffer
- 2 Esslöffel Zucker
- 2 Esslöffel gemahlener Kreuzkümmel

ANLEITUNG:

1. Nehmen Sie eine große Schüssel, geben Sie Zucker, Salz und schwarzen Pfeffer hinein, fügen Sie dann Wasser hinzu und verquirlen Sie es, bis sich der Zucker aufgelöst hat, um die Salzlake zuzubereiten.

2. Legen Sie die Putenbrust hinein, tauchen Sie sie vollständig ein und stellen Sie sie für mindestens 12 Stunden in den Kühlschrank, damit sie sich vollsaugen kann.
3. Bereiten Sie in der Zwischenzeit das BBQ-Rub vor. Nehmen Sie dazu eine kleine Schüssel, geben Sie alle Zutaten hinein und verquirlen Sie sie. Stellen Sie die Schüssel bis zur Verwendung beiseite.
4. Sobald die Putenbrust aus der Salzlake genommen wurde, würzen Sie sie gründlich mit dem vorbereiteten BBQ-Rub.
5. Wenn Sie bereit sind zu grillen, schalten Sie den Grill ein, geben Sie Holzpellets mit Apfelgeschmack in den Grilltrichter, schalten Sie den Grill über das Bedienfeld ein, wählen Sie auf dem Temperaturregler die Option "Rauch" und warten Sie mindestens 15 Minuten.
6. Öffnen Sie den Deckel des Grills, nachdem er aufgeheizt ist, legen Sie die Putenbrust auf den Grillrost, schließen Sie den Grill, erhöhen Sie die Räuchertemperatur auf 105 °C und räuchern Sie die Pute 8 Stunden lang, oder bis die Innentemperatur 70°C erreicht.
7. Wenn der Truthahn fertig gebraten ist, auf ein Schneidebrett legen, 10 Minuten ruhen lassen, dann in Scheiben schneiden und servieren.

NÄHRWERTE: Kalorien: 250; Fett: 5 g; Kohlenhydrate: 31 g; Eiweiß: 18 g

Mit Apfelholzpellets geräucherter Truthahn im Ganzen

Zubereitungszeit: 10 Minuten

Kochzeit: 5 Stunden

Bevorzugte Holzpellets: Apfel

Portionen: 6

ZUTATEN:

- 1 (4-5 kg) Truthahn, ohne Innereien
- Natives Olivenöl extra, zum Einreiben
- 60 ml Geflügelgewürz
- 8 Esslöffel (1 Stick) ungesalzene Butter, geschmolzen
- 120 ml Apfelsaft
- 2 Teelöffel getrockneter Salbei
- 2 Teelöffel getrockneter Thymian

ANLEITUNG:

1. Versorgen Sie Ihren Smoker mit Holzpellets.
2. Mit geschlossenem Deckel auf 105°C vorheizen.
3. Reiben Sie den Truthahn mit Öl ein und würzen Sie ihn dann von innen und außen mit dem Geflügelgewürz, bis unter die Haut.
4. Die geschmolzene Butter, den Apfelsaft, den Salbei und den Thymian zum Übergießen mischen.
5. Legen Sie den Truthahn in eine Pfanne, legen Sie ihn auf den Grill, schließen Sie den Deckel und grillen Sie ihn für 5 bis 6 Stunden.
6. Lassen Sie das Truthahnfleisch vor dem Tranchieren etwa 15 bis 20 Minuten ruhen.

NÄHRWERTE: Kalorien: 180; Kohlenhydrate: 3g; Fett: 2g; Eiweiß: 39g

LAMMFLEISCH REZEPT

Lammkoteletts mit Knoblauch

Zubereitungszeit: 10-15 Minuten

Kochzeit: 3 Stunden

Portionen: 4

Bevorzugte Holzpellets: Eiche oder Erle

ZUTATEN:

- 6 Knoblauchzehen
- 2 Esslöffel Apfelessig
- 120 ml Wasser
- 60 ml natives Olivenöl extra
- 1 Teelöffel Salz
- 1 Teelöffel Pfeffer
- 1800 g Lammkoteletts

ANLEITUNG:

1. In einer Schüssel gehackten Knoblauch, Essig, Wasser, Olivenöl, Salz und Pfeffer hinzufügen.
2. Reiben Sie die Lammkoteletts gründlich mit der Mischung ein und legen Sie sie in den Kühlschrank; lassen Sie sie 4 Stunden lang abkühlen.
3. Aus dem Kühlschrank nehmen und 45 Minuten ruhen lassen
4. Nehmen Sie Ihre Tropfschale und geben Sie Wasser hinein; decken Sie sie mit Alufolie ab. Heizen Sie den Smoker auf 100 C°.
5. Füllen Sie die Wasserwanne bis zur Hälfte mit Wasser und stellen Sie sie über die Auffangschale. Holzspäne in die Seitenschale geben
6. Das Fleisch auf den obersten Rost legen und 3 Stunden lang räuchern oder bis die Innentemperatur 70 C° erreicht.
7. Koteletts herausnehmen und 15 Minuten abkühlen lassen
8. Servieren und genießen!

NÄHRWERTE: Kalorien: 419, Fett: 28g, Kohlenhydrate: 0,82g, Eiweiß: 36g

Geräucherte Lammschulter

Zubereitungszeit: 15 Minuten

Kochzeit: 1 Std. 30 Minuten

Portionen: 4

Bevorzugte Holzpellets: Hartholz Mesquite

ZUTATEN:

- 2300 g Lammschulter, ohne Knochen und ohne überschüssiges Fett
- 2 Esslöffel koscheres Salz
- 2 Esslöffel schwarzer Pfeffer
- Esslöffel Rosmarin, getrocknet

Die Injektion

- 250 ml Apfelessig

Der Spritzer

- 250 ml Apfelessig
- 250 ml Apfelsaft

ANLEITUNG:

1. Heizen Sie den Holzpellet-Smoker mit einer Wasserpfanne auf 105°C vor.
2. Spülen Sie das Lamm unter kaltem Wasser ab und trocknen Sie es mit einem Papiertuch ab. Essig in das Lamm einspritzen.
3. Das Lammfleisch erneut abtrocknen und mit koscherem Salz, schwarzem Pfeffer und Rosmarin einreiben. Mit Küchengarn zusammenbinden.
4. 1 Stunde lang unbedeckt räuchern, dann alle 15 Minuten besprühen, bis die Innentemperatur 80°C erreicht.
5. Nehmen Sie das Lamm vom Grill und legen Sie es auf eine Servierplatte. Lassen Sie es abkühlen, bevor Sie es zerkleinern und mit Ihrer Lieblingsseite genießen.

NÄHRWERTE: Kalorien: 240, Fett: 19g, Eiweiß: 17g

Geräucherte Lammfleisch-Schieber

Zubereitungszeit: 10 Minuten

Kochzeit: 3 Stunden

Portionen: 7

Bevorzugte Holzpellets: Hartholz Mesquite

ZUTATEN:

- 2,3 kg Lammschulter, ohne Knochen
- 120 ml Olivenöl
- 60 g Trockenreibe
- 10-Unzen-Schorle

Der Dry Rub

- 85 g koscheres Salz
- 85 g Pfeffer, gemahlen
- 30 g Knoblauch, granuliert

Der Spritzer

- 100 g Worcestershire-Sauce
- 150 g Apfelessig

ANLEITUNG:

1. Heizen Sie den Holzpellet-Räucherofen mit einem Wasserbad auf 120°C vor.
2. Das Lammfleisch von Fett befreien und mit Öl und Dry Rub einreiben.
3. Das Lamm 90 Minuten lang in den Räucherofen legen und dann mit einer Sprühflasche besprühen.
4. Die Lammschulter mit der restlichen Spritzflüssigkeit in eine Folienschale geben und fest mit Folie abdecken.
5. Zurück in den Räucherofen legen und räuchern, bis die Innentemperatur 90°F erreicht.
6. Ruhen lassen und mit Salat, Brötchen oder Aioli servieren.
7. Viel Spaß!

NÄHRWERTE: Kalorien: 339, Fett: 22g, Kohlenhydrate: 16g, Eiweiß: 18g

Lammkronen-Rack

Zubereitungszeit: 10 Minuten

Kochzeit: 30 Minuten

Portionen: 6

Bevorzugte Holzpellets: Hartholz Mesquite

ZUTATEN:

- 2 Lammkarrees, getränkt
- 1 Esslöffel Knoblauch, zerdrückt
- 1 Esslöffel Rosmarin, fein gehackt
- 60 ml Olivenöl
- Schnur

ANLEITUNG:

1. Spülen Sie die Racks mit kaltem Wasser ab und trocknen Sie sie dann mit einem Papiertuch ab.
2. Legen Sie die Racks auf ein flaches Brett und ritzen Sie dann zwischen jedem Knochen etwa 6 mm ein.
3. Knoblauch, Rosmarin und Öl in einer Schüssel verrühren und das Lamm großzügig damit bestreichen.
4. Jedes Lammkarree zu einem Halbkreis biegen, so dass eine kronenartige Form entsteht.
5. Wickeln Sie die Gestelle mit dem Bindfaden etwa viermal um, vom Boden bis zur Spitze. Achte darauf, dass du die Schnur fest verknotest, damit die Gestelle zusammenbleiben.
6. Die Holzpellets auf 200-230°C vorheizen, dann die Lammracks auf ein Backblech legen.
7. 10 Minuten kochen, dann die Temperatur auf 150°C reduzieren. 20 Minuten kochen oder bis die Innentemperatur 55°C erreicht.
8. Das Lammkarree aus dem Holzpellet nehmen und 15 Minuten ruhen lassen.
9. Noch heiß mit Gemüse und Kartoffeln servieren.

NÄHRWERTE: Kalorien: 390, Fett: 35g, Eiweiß: 17g

Geräucherte Lammkeule

Zubereitungszeit: 15 Minuten

Kochzeit: 4 Stunden

Portionen: 6

Bevorzugte Holzpellets: Hartholz Mesquite

ZUTATEN:

- Lammkeule, ohne Knochen
- 4 Knoblauchzehen, gehackt
- 1 Esslöffel Salz
- 1 Esslöffel schwarzer Pfeffer, frisch gemahlen
- 1 Esslöffel Oregano
- 1 Esslöffel Thymian
- 2 Esslöffel Olivenöl

ANLEITUNG:

1. Schneiden Sie überschüssiges Fett vom Lamm ab und binden Sie das Lamm mit Bindegarn zu einem schönen Braten.
2. Knoblauch, Gewürze und Öl in einer Schüssel mischen. Das Lamm damit einreiben, in eine Plastiktüte wickeln und eine Stunde lang im Kühlschrank marinieren lassen.
3. Das Lamm in einen auf 120°C eingestellten Räucherofen legen. Das Lamm 4 Stunden lang räuchern oder bis die Innentemperatur 62°C erreicht.
4. Aus dem Räucherofen nehmen und abkühlen lassen. Servieren und genießen.

NÄHRWERTE: Kalorien: 350, Fett: 16g, Kohlenhydrate: 3g, Eiweiß: 49g

Geschmortes Lamm 'n Aprikose

Zubereitungszeit: 15 Minuten

Kochzeit: 2 Stunden 30 Minuten

Portionen: 7

Bevorzugte Holzpellets: Hartholz Mesquite

ZUTATEN:

- Lammkeule von ca. 1,8 bis 2,7 kg mit entferntem Brustbein
- Green Mountain Wildbret-Rub
- Esslöffel gehackter Knoblauch

Für die Aprikosen-Senf-Glasur:

- 1 Glas mit etwa 250 g Aprikosengelee
- 60 ml gelber Senf
- 1 Teelöffel Knoblauchpulver

ANLEITUNG:

1. Reiben Sie das Lamm zunächst großzügig mit dem Green Mountain Wildbret-Rub und dem gehackten Knoblauch ein.
2. Bei einer Temperatur von etwa 200°C etwa 30 Minuten grillen, dabei mindestens einmal wenden.
3. Während das Lamm gegart wird, die Zutaten für die Glasur in einem mittelgroßen Topf vermengen und etwa 15 Minuten köcheln lassen.
4. Die Hitze auf etwa 160°C reduzieren und etwa 60 Minuten kochen.
5. Das Lamm in den letzten 30 Minuten einige Male mit der vorbereiteten Glasur bestreichen.
6. Das Lammfleisch aus dem Holzpelletgrill nehmen und etwa 10 Minuten lang mit Folie abdecken.
7. Servieren und genießen Sie Ihr Gericht!

NÄHRWERTE: Kalorien: 250, Fett: 18g, Kohlenhydrate: 6g, Eiweiß: 21g

Gebratene Lammkeule nach griechischer Art

Zubereitungszeit: 25 Minuten

Kochzeit: 1 Std. 35 Minuten

Portionen: 6

Bevorzugte Holzpellets: Hartholz Mesquite

ZUTATEN:

- 6 Esslöffel kaltgepresstes Olivenöl
- Lammkeule (2,7-3,2 kg), nicht entbeint
- Saft von 2 Zitronen, frisch gepresst
- 1 Zweig frischer Rosmarin, Stiele entfernt, Nadeln abgestreift
- 1 Zweig frischer Oregano
- 8 Knoblauchzehen
- Frisch gemahlener schwarzer Pfeffer und koscheres Salz (grob) nach Bedarf

ANLEITUNG:

1. Schneiden Sie mit einem scharfen Schälmesser eine Reihe kleiner Scheiben in das Fleisch. Für die Knoblauch-Kräuter-Paste:
2. Oregano, Knoblauch und Rosmarin mit einem Kochmesser und einem sauberen, großen Schneidebrett fein hacken. Sie können diese Zutaten auch in eine Küchenmaschine geben.
3. Geben Sie eine kleine Menge der vorbereiteten Paste in jeden Fleischschlitz. Verwenden Sie eines der Werkzeuge, um die Paste in den Schlitz zu geben.
4. Das Lammfleisch auf ein Gestell in einem großen Bratentopf legen.
5. Die Außenseite des Fleisches zuerst mit frisch gepresstem Zitronensaft, dann mit Olivenöl bestreichen. Mit Plastikfolie abdecken und über Nacht in den Kühlschrank stellen.
6. Am nächsten Tag nehmen Sie das Fleisch aus dem Kühlschrank und lassen es 30 Minuten bei Raumtemperatur ruhen.
7. Die Frischhaltefolie entfernen und das Fleisch mit Salz und Pfeffer würzen.
8. Wenn Sie fertig sind, schalten Sie den Holzpelletgrill auf die Rauchstufe und garen ihn 4 bis 5 Minuten bei geöffnetem Deckel. Den Smoker auf 205°C einstellen und den Deckel schließen. Das Lamm muss 30 Minuten lang braten.
9. Die Hitze auf 175°C reduzieren und das Lamm eine weitere Stunde garen oder bis die Innentemperatur 60°C erreicht.
10. Das gekochte Lammfleisch auf ein großes, sauberes Schneidebrett legen, einige Minuten ruhen lassen und dann in dünne Scheiben gegen die Faserrichtung schneiden. Heiß servieren und sich daran erfreuen.

NÄHRWERTE: Kalorien: 760, Fett: 64g, Cholesterin: 190mg, Kohlenhydrate: 1g, Eiweiß: 40g

Geräuchertes Lammkarree

Zubereitungszeit: 20 Minuten

Kochzeit: 1 Stunde 20 Minuten

Portionen: 4

Bevorzugte Holzpellets: Hartholz Mesquite

ZUTATEN:

- Ein Lammkarree, vorzugsweise 1,8 bis 2,3 kg
- Für die Marinade
- Medium Zitrone
- 4 Knoblauchzehen, gehackt
- 1 Teelöffel Thymian
- 60 ml Balsamico-Essig
- 1 Teelöffel Basilikum
- je 1 Teelöffel Pfeffer und Salz
- Für Glasur
- 1 Esslöffel Sojasauce
- 60 ml Dijon-Senf
- 1 Esslöffel Worcestershire-Sauce
- 60 ml trockener Rotwein

ANLEITUNG:

1. Die Zutaten für die Marinade sollten alle in einem riesigen Zip-Lock-Beutel kombiniert werden.
2. Nach der Zubereitung die Silberhaut von den Lammkarrees entfernen und die zurechtgeschnittenen Karrees in den mit Marinade gefüllten Plastikbeutel geben. Alles mischen und den Beutel über Nacht kühl stellen.

3. Heizen Sie Ihr Holzpellet auf 150°C vor. In der Zwischenzeit alle Bestandteile der Glasur in einer großen Schüssel verrühren.
4. Legen Sie das Lammkarree auf den heißen Grill, nachdem Sie die Glasur angerührt und es zubereitet haben.
5. Nach 12 bis 15 Minuten Garzeit die Racks mit der vorbereiteten Glasurmischung begießen.
6. Nach dem Wenden das Fleisch etwa eine Stunde lang braten oder bis es eine Innentemperatur zwischen 60 und 65°C erreicht hat. Denken Sie daran, das Fleisch alle 30 Minuten mit der Glasur zu bestreichen.
7. Wenn das Fleisch gar ist, nehmen Sie es vom Grill und lassen es einige Minuten ruhen.
8. Nach Belieben das Fleisch in Stücke schneiden, heiß servieren und genießen.

NÄHRWERTE: Kalorien: 780, Fett: 60g, Cholesterin: 200mg, Kohlenhydrate: 5g, Eiweiß: 50g

Geräucherte Lammlende

Zubereitungszeit: 20 Minuten

Kochzeit: 50 Minuten

Portionen: 6

Bevorzugte Holzpellets: Apfel und Pekannuss

ZUTATEN:

- 10 bis 12 Lammkoteletts
- Jeffs Original-Rezept
- Rosmarin, fein gehackt
- Olivenöl
- Grobes koscheres Salz

ANLEITUNG:

1. Legen Sie die Koteletts auf ein Abkühlgitter oder ein Backblech.
2. Bestreuen Sie die Koteletts vor dem Trockenpökeln großzügig mit Salz.
3. Danach das zugedeckte Fleisch aus dem Kühlschrank nehmen, dabei darauf achten, dass es nicht abgespült wird.
4. Gießen Sie etwa 60 ml Olivenöl über 1 Esslöffel gehackten Rosmarin, um eine Infusion aus Olivenöl und Rosmarin herzustellen. Nach dem Absetzen der Mischung eine Stunde ziehen lassen.
5. Die Lammkoteletts sollten mit der vorbereiteten Mischung bestrichen und umrandet werden.
6. Die Koteletts auf der Ober-, Seiten- und Unterseite mit dem Rub bestreuen.
7. Stellen Sie Ihren Smoker auf indirekte Hitze bei 105°C ein.
8. Achten Sie darauf, dass Sie eine Kombination aus Apfel und Pekannuss verwenden, um ein optimales Ergebnis zu erzielen.
9. Die beschichteten Koteletts 40 bis 50 Minuten garen oder bis sie innen 60°C anzeigen.
10. Genießen Sie eine heiße Portion.

NÄHRWERTE: Kalorien: 650, Fett: 50g, Cholesterin: 155mg, Kohlenhydrate: 1g, Eiweiß: 42g

Gefüllte Lammkeule

Zubereitungszeit: 20 Minuten

Kochzeit: 2 Stunden 30 Minuten

Portionen: 8

Bevorzugte Holzpellets: Hartholz Apfel

ZUTATEN:

Zum Füllen:

1. 1 (8-Unzen) Packung Frischkäse, erweicht
2. 60 g gekochter Speck, zerkrümelt
3. 1 Jalapeño-Paprika, entkernt und gewürfelt

Für die Gewürzmischung:

4. 1 Esslöffel getrockneter Rosmarin, zerkleinert
5. 2 Teelöffel Knoblauchpulver
6. 1 Teelöffel Zwiebelpulver
7. 1 Teelöffel Paprika
8. 1 Teelöffel Cayennepfeffer
9. Salz, je nach Bedarf

Für Lammkeule:

10. 1 (1,8-2,3 kg) Lammkeule, in Butter gebraten
11. 2-3 Esslöffel Olivenöl

ANLEITUNG:

1. Heizen Sie den Wood Pellet Grill & Smoker auf 105-110 Grad auf der Räuchereinstellung.
2. Für die Füllung alle Zutaten in eine Schüssel geben und gut umrühren.
3. Für die Gewürzmischung alle Zutaten in einer separaten kleinen Schüssel vermengen.

4. Die Lammkeule sollte auf eine flache Unterlage gelegt werden.
5. Einen Teil der Gewürzmischungen in die Keule streuen.
6. Verteilen Sie die Füllung gleichmäßig auf der Innenfläche.
7. Die Lammkeule wird fest zusammengerollt, und die Rolle wird mit der Metzgerschnur zusammengebunden, um die Füllung zu fixieren.
8. Die Gewürzmischung auf die Außenseite des Brötchens streuen und gleichmäßig mit Olivenöl bestreichen.
9. Die Lammkeule auf den Grill legen und 2 bis 2 ½ Stunden garen.
10. Die Lammkeule wird vom Grill genommen und auf ein Schneidebrett gelegt.
11. Vor dem Servieren die Lammkeule für etwa 20 bis 25 Minuten mit einem Stück Folie abdecken.
12. Die Lammkeule mit einem scharfen Messer in die erforderliche Anzahl von Stücken schneiden und auf einen Teller legen.

NÄHRWERTE: Kalorien 700, Fett insgesamt 37,2 g, Cholesterin 294 mg, Natrium 478 mg, Kohlenhydrate insgesamt 2,2 g, Ballaststoffe 0,5 g, Eiweiß 84,6 g

Einzigartiges Melasse-Lammkotelett

Zubereitungszeit: 10-15 Minuten

Kochzeit: 3 Stunden

Portionen: 4

Bevorzugte Holzpellets: Eiche oder Erle

ZUTATEN:

- 120 ml trockener Weißwein
- 250 ml Melasse
- 4 Esslöffel Melasse
- 4 Esslöffel frische Minze, gehackt
- Salz und Pfeffer nach Geschmack
- 900 g Lammfleisch

ANLEITUNG:

1. In einer Schüssel Melasse, Wein, frische Minze, Salz und Pfeffer hinzugeben.
2. Die Schnittseite des entbeinten Lamms mit Salz und Pfeffer würzen, mit der Melassemischung bestreichen und das Lamm aufrollen und binden.
3. Die Außenfläche mit der Melassemischung bestreichen
4. Nehmen Sie Ihre Tropfschale und geben Sie Wasser hinein; decken Sie sie mit Alufolie ab. Heizen Sie den Smoker auf 105 C° vor.
5. Füllen Sie die Wasserwanne bis zur Hälfte mit Wasser und stellen Sie sie über die Auffangschale. Holzspäne in die Seitenschale geben
6. Das Fleisch auf das obere Gestell legen und räuchern, bis die Innentemperatur 70 C° erreicht.
7. Koteletts herausnehmen und 15 Minuten abkühlen lassen
8. Servieren und genießen!

NÄHRWERTE: Kalorien: 516, Fett: 11g, Kohlenhydrate: 70g, Eiweiß: 46g

Lammhaxen, rauchgebraten

Zubereitungszeit: 10 Minuten

Kochzeit: 5 Stunden 15 Minuten

Portionen: 2

Bevorzugte Holzpellets: Aprikose oder Erle

ZUTATEN:

- 100 g brauner Zucker
- 950 ml Wasser
- 4 Streifen Orange
- 2 Zimtstangen
- 3 ganze Sternanisblätter
- 120 ml Sojasauce
- 2 Lammhaxen
- 120 ml Reiswein
- 3 Esslöffel Sesamöl, asiatisch

ANLEITUNG:

1. Die Lammhaxe auf Alufolienpapier legen.
2. Sesamöl, Wasser, Sojasauce und braunen Zucker in einer Schüssel verrühren, bis sich der Zucker auflöst. Die Zimtstange, die Orangenschale und den Sternanis in die Schüssel geben. Die Mischung über das Lammfleisch gießen.

3. Heizen Sie den Grill 15 Minuten lang auf 120°C vor. Erlenholzpellets verwenden
4. Die Lammhaxe mit der Folie auf die Grillroste legen. Die Lammhaxe 5 Stunden lang räuchern, bis sie braun ist.
5. Das Lamm aus dem Räucherofen nehmen und auf ein Brett legen, um überschüssiges Fett abzuschneiden. Sofort servieren.

NÄHRWERTE: Kalorien: 255 kcal, Kohlenhydrate: 46 g, Fett: 36 g, Eiweiß: 34,1 g.

Lammkeule Traditionelle Steaks

Zubereitungszeit: 10 Minuten

Kochzeit: 10 Minuten

Portionen: 4

Bevorzugte Holzpellets: Hartholz Mesquite

ZUTATEN:

- 4 Lammsteaks, nicht entbeint
- 60 ml Olivenöl
- 4 Knoblauchzehen, gehackt
- 1 Esslöffel Rosmarin, frisch gehackt
- Salz und schwarzer Pfeffer nach Bedarf

ANLEITUNG:

1. Das Lammfleisch in einer flachen Schale in einer einzigen Schicht auslegen und dann mit Öl, Knoblauchzehen, Rosmarin, Salz und schwarzem Pfeffer bedecken.
2. 30 Minuten ruhen lassen.
3. Heizen Sie den Holzpelletgrill vor und bestreichen Sie den Grillrost mit Öl.
4. Das Lammfleisch auf den Grillrost legen und garen, bis es gebräunt ist und die Innereien leicht rosa sind. Die Innentemperatur sollte 60°C betragen.
5. Vor dem Servieren 5 Minuten ruhen lassen.
6. Viel Spaß!

NÄHRWERTE: Kalorien: 325, Fett: 22g, Kohlenhydrate: 2g, Eiweiß: 30g

Gewürzte Lammschulter

Zubereitungszeit: 15 Minuten

Kochzeit: 5 Stunden 45 Minuten

Portionen: 6

Bevorzugte Holzpellets: Hartholz Apfel

ZUTATEN:

- 1 (2,2 kg) Lammschulter mit Knochen, zurechtgeschnitten
- 3-4 Esslöffel marokkanisches Gewürz
- 2 Esslöffel Olivenöl
- 240 ml Wasser
- 60 ml Apfelessig

ANLEITUNG:

1. Heizen Sie den Wood Pellet Grill & Smoker auf der Rauchstufe auf 135°C vor.
2. Die Lammschulter gleichmäßig mit Öl bestreichen und dann mit marokkanischem Gewürz einreiben.
3. Die Lammschulter auf den Grill legen und etwa 45 Minuten garen.
4. Mischen Sie Essig und Wasser in einer lebensmittelechten Sprühflasche.
5. Die Lammschulter gleichmäßig mit der Essigmischung besprühen.
6. Etwa 4-5 Stunden kochen, dabei alle 20 Minuten mit der Essigmischung besprühen.
7. Die Lammschulter vom Grill nehmen und auf einem Schneidebrett etwa 20 Minuten ruhen lassen, bevor sie in Scheiben geschnitten wird.
8. Das Lammfleisch in beliebig große Scheiben schneiden und servieren.

NÄHRWERTE: Kalorien 563, Fett insgesamt 25,2 g, gesättigtes Fett 7,5 g, Cholesterin 251 mg, Natrium 1192 mg, Kohlenhydrate insgesamt 3,1 g, Ballaststoffe 0 g, Zucker 1,4 g, Eiweiß 77,4 g

Käsige Lamm-Burger

Zubereitungszeit: 10 Minuten

Kochzeit: 18 Minuten

Portionen: 4

Bevorzugte Holzpellets: Hartholz Apfel

ZUTATEN:

- 900 g Lammhackfleisch
- 240 ml Parmigiano-Reggiano-Käse, gerieben
- Salz und gemahlener schwarzer Pfeffer, je nach Bedarf

ANLEITUNG:

1. Heizen Sie den Wood Pellet Grill & Smoker auf der Grilleinstellung auf 220°C vor.
2. Alle Zutaten in eine Schüssel geben und verrühren, bis sie gut miteinander verbunden sind.
3. Aus der Masse 4 Patties formen.
4. In jedes Brötchen ein flaches, aber breites Loch schneiden.
5. Die Patties mit der eingedrückten Seite nach unten auf den Grill legen und etwa 8 Minuten garen.
6. Die Patties wenden und etwa 8-10 Minuten garen.
7. Nehmen Sie die Patties vom Grill und servieren Sie sie dann sofort.

NÄHRWERTE: Kalorien 502, Gesamtfett 22,6 g, gesättigtes Fett 9,9 g, Cholesterin 220 mg, Natrium 331 mg, Kohlenhydrate insgesamt 0 g, Ballaststoffe 0 g, Zucker 0 g, Eiweiß 71,7 g

FISCH REZEPT

Saftiger Räucherlachs

Zubereitungszeit: 20 Minuten

Kochzeit: 50 Minuten

Portionen: 5

Bevorzugte Holzpellets: Erle

ZUTATEN:

- 100 g brauner Zucker
- 2 Esslöffel Salz
- 2 Esslöffel zerstoßene rote Pfefferflocken
- 100 g frische Minzblätter, gehackt
- 60 ml Weinbrand
- 1 (1,8 kg) Lachs, ohne Gräten
- 470 g Erlenholzpellets, in Wasser eingeweicht

ANLEITUNG:

- In einer mittelgroßen Schüssel braunen Zucker, zerstoßene rote Paprikaflocken, Minzblätter, Salz und Brandy hinzufügen, bis eine Paste entsteht.
- Reiben Sie den Lachs mit der Paste ein und wickeln Sie ihn in eine Plastikfolie ein.
- Über Nacht abkühlen lassen
- Heizen Sie Ihren Smoker auf 100°C vor und fügen Sie Holzpellets hinzu.
- Den Lachs auf das Räuchergestell legen und 45 Minuten lang räuchern.
- Sobald der Lachs eine rotbraune Farbe angenommen hat und das Fleisch leicht abblättert, herausnehmen und servieren!

NÄHRWERTE: Kalorien: 370, Fette: 28g, Kohlenhydrate: 1g, Ballaststoffe: 0g

Togarashi Räucherlachs

Zubereitungszeit: 20 Minuten

Kochzeit: 4 Stunden

Portionen: 10

Bevorzugte Holzpellets: Eiche oder Erle

ZUTATEN:

- Lachsfilet - 2 große
- Togarashi zum Würzen

  Für Salzlake:

  - Brauner Zucker - 250 ml
  - Wasser – 1 l
  - Koscheres Salz - 85 g

ANLEITUNG:

1. Das Fischfilet von allen Stacheln befreien.
2. Alle Zutaten für die Salzlake mischen, bis der braune Zucker vollständig aufgelöst ist.
3. Die Mischung in eine große Schüssel geben und das Filet dazugeben.
4. Die Schüssel 16 Stunden lang in den Kühlschrank stellen.
5. Nach 16 Stunden den Lachs aus dieser Mischung nehmen. Waschen und trocknen Sie ihn.
6. Den Lachs für weitere 2-4 Stunden in den Kühlschrank stellen. (Dieser Schritt ist sehr wichtig. NICHT AUSLASSEN).
7. Würzen Sie Ihr Lachsfilet mit Togarashi.
8. Starten Sie den Holzpelletgrill mit der Option "Rauch" und legen Sie den Lachs darauf.
9. 4 Stunden lang räuchern.
10. Vom Grill nehmen und warm mit einer Beilage servieren.

NÄHRWERTE: Kohlenhydrate: 19 g, Eiweiß: 10 g, Fett: 6 g, Natrium: 3772 mg, Cholesterin: 29 mg

BBQ-Austern

Zubereitungszeit: 1-2 Stunden

Kochzeit: 16 Minuten

Portionen: 4-6

Bevorzugte Holzpellets: Eiche oder Erle

ZUTATEN:

- Geschälte Austern - 12
- Ungesalzene Butter – 450 g
- Honey Hog BBQ Rub oder Meat Church "The Gospel" - 1 Esslöffel.
- Gehackte grüne Zwiebeln - 1/2 Bund
- Gewürztes Paniermehl - 100 g
- Gehackte Knoblauchzehen - 2
- Geschredderter Pepper-Jack-Käse – 200 g
- Traeger Hitze und Süße BBQ-Sauce

ANLEITUNG:

1. Heizen Sie den Pelletgrill bei geschlossenem Deckel etwa 10-15 Minuten vor.
2. Für die Zubereitung der zusammengesetzten Butter warten Sie, bis die Butter weich ist. Dann die Butter, die Zwiebeln, das BBQ-Rub und den Knoblauch gründlich vermischen.
3. Legen Sie die Butter gleichmäßig auf Frischhaltefolie oder Pergamentpapier. Rollen Sie die Butter in Form eines Baumstammes auf und binden Sie die Enden mit Fleischerschnur zusammen. Legen Sie sie zum Festwerden für eine Stunde in den Gefrierschrank. Diese Butter kann auf jedem gegrillten Fleisch verwendet werden, um dessen Geschmack zu verbessern. Jede andere hochwertige Butter kann diese zusammengesetzte Butter auch ersetzen.
4. Die Austern schälen, dabei den Saft in der Schale lassen.
5. Alle Austern mit Paniermehl bestreuen und direkt auf den Grill legen. Lassen Sie sie 5 Minuten lang garen. Sie sind gar, wenn sich die Austern an den Rändern leicht wölben.
6. Sobald sie gekocht sind, einen Löffel der zusammengesetzten Butter auf die Austern geben. Sobald die Butter geschmolzen ist, können Sie ein wenig Pepper-Jack-Käse hinzufügen, um den Geschmack zu verstärken.
7. Die Austern dürfen nicht länger als 6 Minuten auf dem Grill liegen, sonst besteht die Gefahr, dass sie überkochen. Geben Sie einen großzügigen Spritzer BBQ-Sauce auf alle Austern. Außerdem ein paar gehackte Zwiebeln hinzufügen.
8. Abkühlen lassen und den Geschmack des Meeres genießen!

NÄHRWERTE: Kohlenhydrate: 2,5 g, Eiweiß: 4,7 g, Fett: 1,1 g, Natrium: 53 mg, Cholesterin: 25 mg

Gegrillte Shrimps

Zubereitungszeit: 5 Minuten

Kochzeit: 4 Minuten

Portionen: 4

Bevorzugte Holzpellets: Eiche oder Erle

ZUTATEN:

- Jumbo-Garnelen geschält und gesäubert – 450 gr
- Öl - 2 Esslöffel.
- Salz - 1/2 Eßl.
- Spieße - 4-5
- Pfeffer – 0,3 gr.
- Knoblauchsalz - 1/2 Esslöffel.

ANLEITUNG:

1. Heizen Sie den Holzpelletgrill auf 190°C vor.
2. Alle Zutaten in einer kleinen Schüssel mischen.
3. Nachdem Sie die Garnelen gewaschen und getrocknet haben, mischen Sie sie gut mit dem Öl und den Gewürzen.
4. Spieße zu den Garnelen geben und die Schüssel mit den Garnelen beiseite stellen.
5. Öffnen Sie die Spieße und drehen Sie sie um.
6. Weitere 4 Minuten kochen. Herausnehmen, wenn die Garnelen undurchsichtig und rosa sind.

NÄHRWERTE: Kohlenhydrate: 1,3 g, Eiweiß: 19 g, Fett: 1,4 g, Natrium: 805 mg, Cholesterin: 179 mg

Geräucherte Teriyaki-Garnele

Zubereitungszeit: 5 Minuten

Kochzeit: 12 Minuten

Portionen: 6

Bevorzugte Holzpellets: Eiche oder Erle

ZUTATEN:

- Ungekochte Garnelen – 450 g
- Zwiebelpulver - 1/2 Esslöffel.
- Knoblauchpulver - 1/2 Esslöffel.
- Teriyaki-Sauce - 4 Esslöffel.
- Mayo - 4 Esslöffel.
- Gehackte grüne Zwiebel - 2 Esslöffel.
- Salz - 1/2 Eßl.

ANLEITUNG:

1. Die Garnelen entschälen und gründlich waschen.
2. Heizen Sie den Holzpelletgrill auf 230°C vor.
3. Mit Knoblauchpulver, Zwiebelpulver und Salz bestreuen.
4. Die Garnelen 5-6 Minuten auf jeder Seite garen.
5. Nehmen Sie die Garnelen vom Grill und garnieren Sie sie mit Frühlingszwiebeln, Teriyaki-Sauce und Mayo.

NÄHRWERTE: Kohlenhydrate: 2 g, Eiweiß: 16 g, Natrium: 1241 mg, Cholesterin: 190 mg

Heilbutt in Pergament

Zubereitungszeit: 15 Minuten

Kochzeit: 15 Minuten

Portionen: 4

Bevorzugte Holzpellets: Eiche oder Erle

ZUTATEN:

- 16 Spargelstangen, geputzt, in 1,3 cm-Stücke geschnitten
- 2 Ähren Maiskörner
- 4 Heilbuttfilets, ohne Gräten
- 2 Zitronen in 12 Scheiben geschnitten
- Salz nach Bedarf
- Gemahlener schwarzer Pfeffer nach Bedarf
- 2 Esslöffel Olivenöl
- 2 Esslöffel gehackte Petersilie

ANLEITUNG:

1. Legen Sie den Grill an, füllen Sie den Grilltrichter mit Eichen- oder Erlenholzpellets, schalten Sie den Grill ein und wählen Sie auf dem Temperaturregler die Option "Rauch".
2. Schneiden Sie in der Zwischenzeit 18 cm langes Pergamentpapier aus; legen Sie ein Filet in die Mitte jedes Pergaments.
3. Jedes Filet mit drei leicht überlappenden Zitronenscheiben belegen, ein Viertel des Spargels und des Mais auf jedes Filet streuen und mit etwas Salz und schwarzem Pfeffer würzen. Die Filets und das Gemüse fest verschließen, damit der Dampf nicht aus der Verpackung entweichen kann.
4. Wenn der Grill vorgeheizt ist, den Deckel öffnen, die Filetpakete auf den Grillrost legen, den Grill schließen und 15 Minuten lang räuchern, bis die Pakete leicht gebräunt und aufgeplustert sind.
5. Nach dem Garen die Päckchen in eine Schüssel geben, 5 Minuten ruhen lassen, in der Mitte jedes Päckchens ein "X" einschneiden und die Filets und das Gemüse vorsichtig freilegen.
6. Mit Petersilie bestreuen und servieren.

NÄHRWERTE: Kalorien: 186,6, Fett: 2,8 g, Kohlenhydrate: 14,2 g, Eiweiß: 25,7 g, Ballaststoffe: 4,1 g

Geschmacksintensive Garnelenspieße

Zubereitungszeit: 15 Minuten

Kochzeit: 8 Minuten

Portionen: 5

Bevorzugte Holzpellets: Eiche oder Erle

ZUTATEN:

- 60 ml frische Petersilienblätter, gehackt
- 1 Esslöffel Knoblauch, zerdrückt
- 2 1/2 Esslöffel Olivenöl
- 2 Esslöffel Thai-Chili-Sauce
- 1 Esslöffel frischer Limettensaft
- 680 g Garnelen, geschält und entdarmt

ANLEITUNG:

1. Alle Zutaten außer den Garnelen in eine große Schüssel geben und gut vermischen.
2. Marinade und Garnelen in einen Beutel geben.
3. Den Beutel schütteln, um ihn gut zu bedecken
4. Etwa 20-30 Minuten in den Kühlschrank stellen.
5. Stellen Sie die Grilltemperatur auf 230°C ein und heizen Sie den Grill bei geschlossenem Deckel 15 Minuten lang vor.
6. Die Garnelen aus der Marinade nehmen und auf Metallspieße stecken.
7. Die Spieße auf den Grill legen und etwa 4 Minuten pro Seite garen.
8. Heiß servieren.

NÄHRWERTE: Kalorien: 234, Kohlenhydrate: 4.9g, Protein: 31.2g, Fett: 9.3g, Zucker: 1.7g, Natrium: 562mg, Ballaststoffe: 0.1g

Mango-Garnelen

Zubereitungszeit: 10 Minuten

Kochzeit: 6 Minuten

Portionen: 4

Bevorzugte Holzpellets: Hickory oder Apfel

ZUTATEN:

- 450 g Garnelen, geschält und entdarmt, aber mit intaktem Schwanz
- 2 Esslöffel Olivenöl
- Mango-Gewürz

ANLEITUNG:

1. Schalten Sie Ihren Holzpelletgrill ein.
2. Den Ofen auf 220°C vorheizen.
3. Die Garnelen mit dem Öl bestreichen und mit dem Mangogewürz würzen.
4. Die Garnelen auf Spieße stecken.
5. Pro Seite 3 Minuten grillen.
6. Anregung zum Servieren: Mit gehackter Petersilie garnieren.

NÄHRWERTE: Kalorien: 150, Kohlenhydrate: 9g, Fett: 2g, Eiweiß: 25g

Geräucherter Zitronenlachs

Zubereitungszeit: 10 Minuten

Kochzeit: 1 Stunde

Portionen: 4

Bevorzugte Holzpellets: Hickory oder Apfel

ZUTATEN:

- 900 g Lachs
- 6 bis 8 Zitronenscheiben
- Frischer Dill

ANLEITUNG:

1. Stellen Sie Ihren Holzpelletgrill auf 105°C ein.
2. Den Lachs auf eine Zedernholzplanke legen.
3. Die Zitronenscheiben darauf legen.
4. 1 Stunde lang räuchern.
5. Vor dem Servieren den Dill darüberstreuen.
6. Tipp: Sie können den Lachs auch vor dem Kochen salzen.

NÄHRWERTE: Kalorien: 125, Kohlenhydrate: 1g, Fett: 2g, Eiweiß: 26g

Pikante Zitronengarnelen

Zubereitungszeit: 10 Minuten

Kochzeit: 4 Minuten

Portionen: 4

Bevorzugte Holzpellets: Hickory oder Apfel

ZUTATEN:

Marinade

- 1 Esslöffel Limettensaft
- 2 Teelöffel Chilipaste
- 2 Knoblauchzehen, gehackt
- 1/2 Teelöffel Kreuzkümmel
- 1/4 Teelöffel rote Paprikaflocken
- 1/4 Teelöffel Paprika
- Salz nach Geschmack

Krabben

- 450 g große Garnelen, geschält und entdarmt

ANLEITUNG:

1. Die Zutaten für die Marinade in einer Schüssel mischen.
2. Die Garnelen in die Schüssel geben.
3. 30 Minuten im Kühlschrank marinieren lassen.
4. Stellen Sie Ihren Holzpelletgrill auf Rauch.
5. Lassen Sie den Deckel 5 Minuten lang geöffnet, um das Feuer im Brennertopf zu entfachen.
6. Den Ofen auf 230°C vorheizen.
7. Die Garnelen auf Spieße stecken.
8. Pro Seite 2 Minuten grillen.
9. Anregung zum Servieren: Mit gehackter Petersilie garnieren

NÄHRWERTE: Kalorien: 322, Kohlenhydrate: 2g, Fett: 24g, Eiweiß: 24g

Garnelen Bruschetta

Vorbereitungszeit: 0 Minuten

Kochzeit: 15 Minuten

Portionen: 12

Bevorzugte Holzpellets: Hickory oder Apfel

ZUTATEN:

- 12 Baguettescheiben
- 2 Esslöffel Olivenöl, aufgeteilt
- 4 Knoblauchzehen, gehackt
- 12 große Garnelen, geschält und entdarmt
- 1/2 Teelöffel Knoblauchpulver
- 1/2 Teelöffel Chiliflocken
- 1/2 Teelöffel Paprika, geräuchert
- Salz und Pfeffer nach Geschmack
- Pesto

ANLEITUNG:

1. Stellen Sie Ihren Holzpelletgrill auf Rauch.
2. Lassen Sie den Deckel 3 Minuten lang geöffnet.
3. Heizen Sie ihn auf 170°C vor.
4. Die Baguettescheiben auf ein Backblech legen.
5. In einer Schüssel den Knoblauch und die Hälfte des Olivenöls vermischen.
6. Die Pfanne auf den Grill stellen.
7. 10 Minuten backen.
8. Die Garnelen in Olivenöl in einer Pfanne anbraten.
9. Mit Knoblauchpulver, Chiliflocken, Paprika, Salz und Pfeffer würzen
10. 5 Minuten grillen.
11. 5 Minuten abkühlen lassen.
12. Das Pesto auf dem Brot verteilen.
13. Mit den Garnelen belegen. Servieren.
14. Anregung zum Servieren: Mit gehackter Petersilie garnieren.

NÄHRWERTE: Kalorien: 87, Kohlenhydrate: 10g, Fett: 2g, Eiweiß: 6g

Meeresfrüchte-Rub mit geräuchertem Schwertfisch

Zubereitungszeit: 30 Minuten

Kochzeit: 2 Stunden 15 Minuten

Portionen: 6-8

Bevorzugte Holzpellets: Eiche

ZUTATEN:

- 4 Teelöffel Knoblauch, gemahlen
- 2 Teelöffel Paprika
- 1 Teelöffel Muskatnuss, gemahlen
- 1/2 Teelöffel Piment, gemahlen
- 4 Teelöffel Ingwer, gemahlen
- 1 Teelöffel Cayennepfeffer
- 2 Esslöffel Selleriesamen
- 60 g Meersalz
- 4 Teelöffel schwarzer Pfeffer, frisch gemahlen
- 900 g Schwertfisch
- 2 Teelöffel brauner Zucker

ANLEITUNG:

1. Den Grill 15 Minuten lang auf 100°C vorheizen.
2. Alle Zutaten (außer Schwertfisch) in einer Schüssel vermengen. Gründlich mischen.
3. Den Schwertfisch in die Schüssel geben und vorsichtig mit der Mischung überziehen. Der Schwertfisch darf nicht zerbrechen.
4. Legen Sie den beschichteten Schwertfisch direkt auf den vorgeheizten Rost und räuchern Sie ihn 2 Stunden lang oder bis der Fisch undurchsichtig wird und abblättert.
5. Sofort servieren.

NÄHRWERTE: Kalorien: 173kcal, Kohlenhydrate: 27g, Eiweiß: 21,9g, Fett: 19g.

Thunfischsteaks mit Pfefferkörnern

Zubereitungszeit: 20 Minuten

Kochzeit: 1 Stunde

Portionen: 3

Bevorzugte Holzpellets: Eiche oder Erle

ZUTATEN:

- 60 ml Salz
- 900 g Gelbflossenthunfisch
- 60 ml Dijon-Senf
- Frisch gemahlener schwarzer Pfeffer nach Bedarf
- 2 Esslöffel Pfefferkörner

ANLEITUNG:

1. Nehmen Sie einen großen Behälter und lösen Sie das Salz in warmem Wasser auf (so viel Wasser, dass der Fisch bedeckt ist).
2. Thunfisch in die Salzlake geben, abdecken und 8 Stunden in den Kühlschrank stellen.
3. Heizen Sie den Räucherofen mit den Eichen- oder Erlenholzpellets auf 90°C auf.
4. Thunfisch aus der Salzlake nehmen und trocken tupfen
5. In die Grillpfanne geben und mit Dijon-Senf bestreichen
6. Mit Pfeffer würzen und dann mit Pfefferkörnern bestreuen
7. Thunfisch in den Smoker geben und 1 Stunde lang räuchern.
8. Servieren und genießen!

NÄHRWERTE: Kalorien: 707, Fette: 57g, Kohlenhydrate: 10g, Ballaststoffe: 2g

Gefüllter Garnelen-Tilapia

Zubereitungszeit: 20 Minuten

Kochzeit: 45 Minuten

Portionen: 5

Bevorzugte Holzpellets: Eiche oder Erle

ZUTATEN:

- 140 g frische, gezüchtete Tilapia-Filets
- 2 Esslöffel natives Olivenöl extra
- 1 und 1/2 Teelöffel geräucherter Paprika

Garnelen-Füllung

- 450 g Garnelen, gekocht und entdarmt
- 1 Esslöffel gesalzene Butter
- 240 ml rote Zwiebel, gewürfelt
- 240 ml italienisches Paniermehl
- 120 ml Mayonnaise
- 1 großes Ei, verquirlt
- 2 Teelöffel frische Petersilie, gehackt
- 1 und 1/2 Teelöffel Salz und Pfeffer

ANLEITUNG:

1. Nehmen Sie eine Küchenmaschine und fügen Sie die Garnelen hinzu, zerkleinern Sie sie
2. Nehmen Sie eine Pfanne und stellen Sie sie auf mittlere bis hohe Hitze. Butter hinzufügen und schmelzen lassen
3. Die Zwiebeln 3 Minuten lang anbraten
4. Die gehackten Garnelen zusammen mit den abgekühlten sautierten Zwiebeln und den übrigen unter den Füllungszutaten aufgeführten Zutaten in eine Schüssel geben.
5. Bedecken Sie die Mischung und lassen Sie sie etwa 1 Stunde lang in den Kühlschrank stellen.
6. Beide Seiten des Filets mit Olivenöl einreiben
7. 70 ml der Füllung in das Tilapia-Filet geben
8. Falten Sie den Tilapia in der Hälfte, nachdem Sie die Füllung auf der Unterseite des Filets verteilt haben.
9. Mit nur zwei Zahnstochern sichern
10. Jedes Filet mit geräuchertem Paprika und einem Old Bay-Gewürz bestreuen
11. Heizen Sie Ihren Smoker auf 200°C vor.
12. Eichen- oder Erlenholzpellets hinzufügen und die Filets auf eine antihaftbeschichtete Grillschale legen.
13. In den Smoker geben und 30-45 Minuten räuchern, bis die Innentemperatur 65°C erreicht.
14. Den Fisch 5 Minuten ruhen lassen und genießen!

NÄHRWERTE: Kalorien: 620, Fette: 50g, Kohlenhydrate: 6g, Ballaststoffe: 1g

Zitronen-Knoblauch-Muscheln

Zubereitungszeit: 10 Minuten

Kochzeit: 5 Minuten

Portionen: 6

Bevorzugte Holzpellets: Eiche oder Erle

ZUTATEN:

- 1 kg Jakobsmuscheln, gereinigt
- 2 Esslöffel gehackte Petersilie
- Salz nach Bedarf
- 1 Esslöffel Olivenöl
- 1 Esslöffel Butter, ungesalzen
- 1 Teelöffel Zitronenschale

Für die Knoblauchbutter:

- 1/2 Teelöffel gehackter Knoblauch
- 1 Zitrone, entsaftet
- 4 Esslöffel Butter, ungesalzen, geschmolzen

ANLEITUNG:

1. Schalten Sie den Grill ein, füllen Sie den Grilltrichter mit Eichen- oder Erlenpellets, schalten Sie den Grill ein, wählen Sie die Option "Räuchern" oder stellen Sie die Temperatur auf 200°C ein und lassen Sie ihn dann mindestens 15 Minuten lang vorheizen.
2. In der Zwischenzeit die Jakobsmuscheln von der Krause befreien, mit Papiertüchern trocken tupfen und mit Salz und schwarzem Pfeffer würzen.
3. Nach dem Vorheizen des Grills den Deckel öffnen und eine Pfanne auf den Grillrost stellen; Butter und Öl hinzufügen. Wenn sich die Butter auflöst, die gewürzten Jakobsmuscheln darauf legen und 2 Minuten lang anbraten.
4. In der Zwischenzeit die Knoblauchbutter zubereiten. Alle Zutaten in eine kleine Schüssel geben und mit einem Schneebesen verrühren.

5. Die Jakobsmuscheln wenden, mit etwas Knoblauchbutter bestreichen und eine weitere Minute garen.
6. Die Jakobsmuscheln auf einen Teller geben, mit der restlichen Knoblauchbutter bestreichen, mit Petersilie und Zitronenschale bestreuen und servieren.

NÄHRWERTE: Kalorien: 184, Fett: 10 g, Kohlenhydrate: 1 g, Eiweiß: 22 g, Ballaststoffe: 0,2 g

Weinmarinierter Lachs

Zubereitungszeit: 15 Minuten

Kochzeit: 3-5 Stunden

Portionen: 4

Bevorzugte Holzpellets: Eiche oder Erle

ZUTATEN:

- 470 ml natriumarme Sojasauce
- 240 ml trockener Weißwein
- 240 ml Wasser
- 1/2 Teelöffel Tabasco-Sauce
- 70 ml Zucker
- 60 ml Salz
- 1/2 Teelöffel Knoblauchpulver
- 1/2 Teelöffel Zwiebelpulver
- Frisch gemahlener schwarzer Pfeffer, zum Abschmecken
- 4 Lachsfilets

ANLEITUNG:

1. Alle Zutaten außer dem Lachs in eine Schüssel geben und rühren, bis der Zucker aufgelöst ist.
2. Die Lachsfilets hinzufügen und gut mit der Salzlake bedecken. Über Nacht in den Kühlschrank stellen.
3. Den Lachs aus der Schüssel nehmen und unter fließendem kaltem Wasser abspülen.
4. Die Lachsfilets mit Papierhandtüchern abtrocknen. Ein Drahtgestell in eine Blechpfanne stellen.
5. Die Lachsfilets mit der Hautseite nach unten auf ein Drahtgitter legen und etwa 1 Stunde lang abkühlen lassen.
6. Stellen Sie die Grilltemperatur auf 75°C ein und heizen Sie den Grill bei geschlossenem Deckel 15 Minuten lang vor, wobei Sie Holzkohle verwenden.
7. Die Lachsfilets mit der Hautseite nach unten auf den Grill legen und etwa 3-5 Stunden oder bis zum gewünschten Gargrad garen.
8. Die Lachsfilets vom Grill nehmen und heiß servieren.

NÄHRWERTE: Kalorien: 377**,** Kohlenhydrate: 26.3g, Protein: 41.1g, Fett: 10.5g, Zucker: 25.1g, Natrium: 1400mg**,** Ballaststoffe: 0g

Superleckere Forelle

Zubereitungszeit: 15 Minuten

Kochzeit: 2-4 Stunden

Portionen: 8

Bevorzugte Holzpellets: Eiche oder Erle

ZUTATEN:

- 1 (3 kg) ganze Seeforelle, gereinigt
- 60 ml koscheres Salz
- 60 ml frischer Rosmarin, gehackt
- 2 Esslöffel Zitronenschale, fein gerieben

ANLEITUNG:

1. Die Forellen mit Salz einreiben und dann mit Rosmarin und Zitronenschale bestreuen.
2. Die Forellen in eine Auflaufform legen und etwa 7-8 Stunden in den Kühlschrank stellen.
3. Die Forellen aus der Auflaufform nehmen und unter fließendem kaltem Wasser abspülen, um das Salz zu entfernen.
4. Tupfen Sie die Forelle mit Papiertüchern vollständig trocken.
5. Auf einem Gitterrost anrichten.
6. Die Forellen mit der Hautseite nach unten auf ein Gitterrost legen und einen ganzen Tag lang kühl stellen.
7. Stellen Sie die Grilltemperatur auf 80°C ein und heizen Sie den Grill bei geschlossenem Deckel 15 Minuten lang vor.
8. Die Forellen auf den Grill legen und etwa 2-4 Stunden oder bis zum gewünschten Gargrad garen.
9. Nehmen Sie die Forelle vom Grill und legen Sie sie vor dem Servieren etwa 5 Minuten auf ein Schneidebrett.

NÄHRWERTE: Kalorien: 633, Kohlenhydrate: 2.4g, Protein: 85.2g, Fett: 31.8g, Zucker: 0g, Natrium: 5000mg, Ballaststoffe: 1.6g

Thunfisch-Burger im Handumdrehen

Zubereitungszeit: 15 Minuten

Kochzeit: 15 Minuten

Portionen: 6

Bevorzugte Holzpellets: Eiche oder Erle

ZUTATEN:

- 900 g Thunfischsteak
- 1 grüne Paprikaschote, entkernt und gewürfelt
- 1 weiße Zwiebel, gewürfelt
- 2 Eier
- 1 Teelöffel Sojasauce
- 1 Esslöffel Cajun-Gewürzmischung
- Salz und gemahlener schwarzer Pfeffer

ANLEITUNG:

1. Stellen Sie die Grilltemperatur auf 260°C ein und heizen Sie den Grill bei geschlossenem Deckel 15 Minuten lang vor.
2. Geben Sie alle Zutaten in eine Schüssel und mischen Sie sie, bis sie gut miteinander verbunden sind.
3. Mit eingefetteten Händen aus der Masse Patties formen.
4. Die Patties bis zum Rand auf den Grill legen und ca. 10-15 Minuten grillen, nach der Hälfte der Zeit einmal wenden.
5. Heiß servieren.

NÄHRWERTE: Kalorien: 313, Kohlenhydrate: 3.4g, Protein: 47.5g, Fett: 11g, Zucker: 1.9g, Natrium: 174mg, Ballaststoffe: 0.7g

Lebendig gewürzte Garnele

Zubereitungszeit: 15 Minuten

Kochzeit: 30 Minuten

Portionen: 6

Bevorzugte Holzpellets: Eiche oder Erle

ZUTATEN:

- 225 g. Gesalzene Butter, geschmolzen
- 60 ml Worcestershire-Sauce
- 60 ml frische Petersilie, gehackt
- 1 Zitrone, geviertelt
- 900 g Jumbo-Garnelen, geschält und entdarmt
- 3 Esslöffel BBQ-Rub

ANLEITUNG:

1. Alle Zutaten außer Garnelen und BBQ-Rub in eine Auflaufform geben und gut vermischen.
2. Die Garnelen gleichmäßig mit BBQ Rub würzen.
3. Die Garnelen mit etwas Buttermischung in die Pfanne geben und gut ummanteln.
4. Etwa 20-30 Minuten beiseite stellen.
5. Stellen Sie die Grilltemperatur auf 120°C ein und heizen Sie den Grill bei geschlossenem Deckel 15 Minuten lang vor.
6. Die Pfanne auf den Grill stellen und etwa 25-30 Minuten garen.
7. Die Pfanne vom Grill nehmen und heiß servieren.

NÄHRWERTE: Kalorien: 462, Kohlenhydrate: 4.7g, Protein: 34.9g, Fett: 33.3g, Zucker: 2.1g, Natrium: 485mg, Ballaststoffe: 0.2g

Leckere, butterweiche Venusmuscheln

Zubereitungszeit: 15 Minuten

Kochzeit: 8 Minuten

Portionen: 6

Bevorzugte Holzpellets: Eiche oder Erle

ZUTATEN:

- 24 Venusmuscheln
- 60 ml kalte Butter, gewürfelt
- 2 Esslöffel frische Petersilie, gehackt
- 3 Knoblauchzehen, gehackt
- 1 Teelöffel frischer Zitronensaft

ANLEITUNG:

1. Stellen Sie die Grilltemperatur auf 220°C ein und heizen Sie den Grill bei geschlossenem Deckel 15 Minuten lang vor.
2. Die Muscheln unter fließendem kaltem Wasser abschrubben.
3. In einer großen Auflaufform die restlichen Zutaten vermischen.
4. Die Auflaufform auf den Grill stellen.
5. Die Muscheln werden nun direkt auf den Grill gelegt und 5-8 Minuten lang gegart, bis sie sich öffnen. (Muscheln, die sich nicht öffnen, werden verworfen.)
6. Die geöffneten Muscheln mit einer Zange vorsichtig in die Auflaufform geben und vom Grill nehmen.
7. Sofort servieren.

NÄHRWERTE: Kalorien: 306, Kohlenhydrate: 6.4g, Protein: 29.3g, Fett: 7.6g, Zucker: 0.1g, Natrium: 237mg, Ballaststoffe: 0.1g

Geschwärzter Lachs

Zubereitungszeit: 10 Minuten

Kochzeit: 10 Minuten

Portionen: 4

Bevorzugte Holzpellets: Hickory oder Apfel

ZUTATEN:

- 900 g Lachs, Filet, geschuppt und entgrätet
- 2 Esslöffel Olivenöl
- 4 Esslöffel süßes Trockengewürz
- 1 Esslöffel Cayennepfeffer
- 2 Knoblauchzehen, gehackt

ANLEITUNG:

1. Schalten Sie Ihren Holzpelletgrill ein.
2. Stellen Sie ihn auf 170°C ein.
3. Den Lachs mit Olivenöl bestreichen.
4. Bestreuen Sie es mit etwas Dry Rub, Cayennepfeffer und Knoblauch.
5. Pro Seite 5 Minuten grillen.
6. Anregung zum Servieren: Mit gehackter Petersilie garnieren.

NÄHRWERTE: Kalorien: 220, Kohlenhydrate: 1g, Fett: 13g, Eiweiß: 23g

Jakobsmuscheln im Speckmantel

Vorbereitungszeit: 10 Minuten

Zubereitungszeit: 20 Minuten

Portionen: 4

Bevorzugte Holzpellets: Hickory oder Apfel

ZUTATEN:

- 12 Jakobsmuscheln
- 12 Scheiben Speck
- 3 Esslöffel Zitronensaft
- Pfeffern nach Geschmack

ANLEITUNG:

1. Schalten Sie Ihren Holzpelletgrill ein und stellen Sie ihn auf Rauch.
2. Lassen Sie das Gerät bei geöffnetem Deckel 5 Minuten vorheizen.
3. Stellen Sie ihn auf 200°C ein.
4. Die Jakobsmuscheln mit Speck umwickeln.
5. Mit einem Zahnstocher befestigen.
6. Mit Zitronensaft beträufeln und mit Pfeffer würzen.
7. Die Jakobsmuscheln auf ein Backblech legen.
8. Legen Sie das Blech auf den Grill.
9. 20 Minuten lang grillen.

NÄHRWERTE: Kalorien: 180, Kohlenhydrate: 1g, Fett: 8g, Eiweiß: 10g

DÖRRELEISCH REZEPT

Schweinefleisch Jerky

Zubereitungszeit: 15 Minuten

Kochzeit: 2 Stunden 30 Minuten

Portionen: 12

Bevorzugte Holzpellets: Hickory

ZUTATEN:

- 1800 g entbeintes Schweinefleisch im Mittelstück (von überschüssigem Fett befreit und in 6 mm dicke Scheiben geschnitten)

Marinade:

- 80 ml Sojasauce
- 250 ml Ananassaft
- 1 Esslöffel Reisweinessig
- 2 Teelöffel schwarzer Pfeffer
- 1 Teelöffel rote Paprikaflocken
- 5 Esslöffel brauner Zucker
- 1 Teelöffel Paprika
- 1 Teelöffel Zwiebelpulver
- 1 Teelöffel Knoblauchpulver
- 2 Teelöffel Salz oder nach Geschmack

ANLEITUNG:

1. Alle Zutaten für die Marinade in einer Schüssel vermengen und umrühren.
2. Die Marinade in einen großen Beutel mit Reißverschluss füllen, der groß genug ist, um die Schweinescheiben aufzunehmen. Massieren Sie das Fleisch mit der Marinade. Verschließen Sie den Beutel und stellen Sie ihn acht Stunden lang kalt.
3. Schalten Sie den Pelletgrill auf Smoker und warten Sie, bis das Feuer beginnt, indem Sie den Deckel fünf Minuten lang offen lassen. Ihr Pelletgrill sollte bei geschlossenem Deckel auf 80°C erhitzt sein.
4. Die Schweinefleischscheiben sollten aus der Marinade genommen und mit Papiertüchern abgetrocknet werden.
5. Legen Sie die Schweinefleischstücke in einer einzigen Schicht auf den Grill. Wenden Sie das Schweinefleisch nach der ersten Stunde des Räucherns und räuchern Sie es etwa 2 1/2 Stunden lang. Wenn das Jerky fertig ist, sollte es schwarz und trocken sein.
6. Das Dörrfleisch vom Grill nehmen und etwa eine Stunde lang abkühlen lassen. Sofort servieren.

NÄHRWERTE: Kalorien: 260, Fett: 11.4g, Cholesterin: 80mg, Kohlenhydrate: 8,6g, Eiweiß: 28,1g

Authentisches Beef Jerky

Vorbereitungszeit: 8 - 10 Stunden

Kochzeit: 3 Stunden 30 Minuten

Portionen: 4

Bevorzugte Holzpellets: Eiche oder Erle

ZUTATEN:

- 450 g London Broil, geputzt und in 0,6 cm Streifen geschnitten

Marinade:

- 1 Flasche dunkles Bier
- 1 Teelöffel Zwiebelpulver
- 1 Teelöffel Knoblauchpulver
- 1 Esslöffel Pfeffer
- 2 Esslöffel Blackstrap-Melasse
- 2 Esslöffel brauner Zucker
- 2 Esslöffel Salz
- 180 ml ungefilterter Apfelessig

ANLEITUNG:

1. Legen Sie Ihr London Broil in den Gefrierschrank und lassen Sie es 30 Minuten abkühlen.
2. Für die Marinade etwa die Hälfte des Bieres in einer großen Auflaufform verwenden.
3. Das halbgefrorene Rindfleisch in 6 mm dicke Streifen schneiden; diese in eine Auflaufform geben
4. Mit der vorbereiteten Marinade übergießen und die Schale abdecken. In den Kühlschrank stellen und weitere 4-8 Stunden ziehen lassen
5. Rindfleischstreifen aus der Marinade nehmen und trocken tupfen
6. Nehmen Sie Ihre Auffangschale, geben Sie Wasser hinein und decken Sie sie mit Alufolie ab. Heizen Sie den Smoker auf 120°C vor.
7. Füllen Sie die Wasserwanne bis zur Hälfte mit Wasser und stellen Sie sie über die Auffangschale. Holzspäne in die Seitenschale geben

8. Legen Sie die Rindfleischstreifen vorsichtig auf das Räuchergestell und räuchern Sie sie 3,5 Stunden lang; fügen Sie bei Bedarf mehr Holzspäne und Flüssigkeit hinzu.
9. Lassen Sie das Dörrfleisch abkühlen, und genießen Sie es!

NÄHRWERTE: Kalorien: 374, Fett: 17g, Kohlenhydrate: 46g, Eiweiß: 9g

Teriyaki-Rindfleisch Jerky

Zubereitungszeit: 10 Min.

Kochzeit: 1 Std.

Portionen: 5

Bevorzugte Holzpellets: Aprikose oder Erle

ZUTATEN:

- 1350 g Rindfleisch
- 350 ml Teriyaki-Sauce
- 120 ml Sojasauce
- 1 Teelöffel Knoblauchpulver
- 1 Teelöffel Zwiebelpulver
- 3 Teelöffel Sesamsaat
- 2 Teelöffel Salz
- 3 Esslöffel Reisweinessig
- 2 Esslöffel brauner Zucker

ANLEITUNG:

1. Entfernen Sie das gesamte Fett vom Fleisch und schneiden Sie es dann in 3 mm dicke Stücke. Wenn das Rindfleisch gefroren und ausgehärtet ist, ist dies einfacher.
2. Bei sehr geringer Hitze den braunen Zucker in dem Essig auflösen. Essig muss verwendet werden, weil er das Fleisch zart hält.
3. Das Rindfleisch eine Stunde lang köcheln lassen, nachdem es mit der Zucker-Essig-Mischung bestrichen wurde.
4. Knoblauchpulver, Zwiebelpulver, Sojasoße und Teriyaki-Soße sollten kombiniert werden.
5. Das Steak nach dem Bestreichen mit der Soßenmischung über Nacht in den Kühlschrank stellen.
6. Stellen Sie Ihren Smoker auf 90°C-110°C und lassen Sie den Deckel 15 Minuten lang geschlossen.
7. Das Rindfleisch aus der Soßenmischung nehmen. Auf den Räucherrost legen, nachdem die überschüssige Feuchtigkeit mit einem Papiertuch entfernt wurde.
8. Das Rindfleisch zweieinhalb Stunden lang kochen.
9. Wenn sie fertig sind, fühlen Sie die dünnsten Teile und nehmen Sie sie aus dem Räucherofen.
10. Die dickeren Stücke werden im Laufe der nächsten Stunde allmählich die richtige Textur erhalten.
11. Das gekochte Fleisch aus dem Räucherofen nehmen.
12. Sesamsamen und Salz mit einem Mörser und Stößel zerstoßen. Salz und Sesam über das Dörrfleisch geben und verrühren.
13. Bevor Sie das Rindfleisch auf die Deponie bringen, lassen Sie es noch 12 Stunden an einem kühlen Ort trocknen. Es sollte zwei bis drei Wochen haltbar sein.

NÄHRWERTE: Kalorien 204**,** Eiweiß 18,7 g**,** Kohlenhydrate 2 g**,** Fett 13 g**,** Cholesterin 55,3 g**,** Natrium 791 mg.

BBQ-Rindfleisch Jerky

Zubereitungszeit: 30 Min.

Kochzeit: 6 Stunden

Portionen: 8

Bevorzugte Holzpellets: Aprikose oder Erle

ZUTATEN:

- 680 g Flankensteak
- 120 ml Ketchup
- 80 ml Rotweinessig
- 1 Esslöffel trockener Senf
- 60 g brauner Zucker
- 1 Esslöffel Zwiebelpulver
- 2 Esslöffel Hickory-Flüssigrauch
- 2 Esslöffel Morton's Pökelsalz
- 1/2 Teelöffel Knoblauchpulver
- 1/4 Teelöffel Cayennepfeffer

ANLEITUNG:

1. Das Fett vom Rindfleisch abschneiden und das Fleisch in den Gefrierschrank legen, bis es fest, aber nicht gefroren ist (1-2 Stunden).

2. Das Fleisch gegen die Faserrichtung schneiden, so dass lange, magere Stränge von weniger als 3 mm Dicke entstehen. Den Rotweinessig und den braunen Zucker bei schwacher Hitze verrühren.
3. Bis auf das Fleisch die anderen Zutaten hinzufügen und gut vermischen.
4. Die Soßenmischung vom Herd nehmen und nach Belieben weitere Gewürze hinzufügen.
5. Das Fleisch in die Soßenmischung legen und eine Nacht lang kühl stellen. Nehmen Sie Ihre Backformen und legen Sie sie mit Folie aus.
6. Achten Sie beim Auflegen der Fleischstreifen auf den Räucherrost darauf, dass sie sich nicht überlappen.
7. Stellen Sie Ihren Smoker auf 90°C-110°C und lassen Sie den Deckel 15 Minuten lang geschlossen.
8. Das Rindfleisch 3 bis 4 Stunden kochen, oder bis sich die Enden entspannen und richtig anfühlen.
9. Nachdem Sie das Fleisch aus dem Räucherofen genommen haben, tupfen Sie restliches Öl oder Feuchtigkeit mit einem Papiertuch ab.
10. Sofort an einem kühlen und trockenen Ort aufhängen.
11. Nach der Lagerung in einem Plastikbehälter sollten bis zu drei Wochen vergehen.

NÄHRWERTE: Kalorien 317, Eiweiß 20 g, Kohlenhydrate 49 g, Fett 4,7 g, Cholesterin 25,3 mg, Natrium 5422 mg.

Klassisches Puten-Ruckfleisch

Zubereitungszeit: 15 Min.

Kochzeit: 4 Std.

Portionen: 8

Bevorzugte Holzpellets: Aprikose oder Erle

ZUTATEN:

- 450 g hautloses, knochenloses Putenbrustfleisch
- 2 Esslöffel Mesquite-Flüssigrauch
- 2 Esslöffel Sojasauce
- 1/4 Teelöffel Tabasco-Sauce
- 60 ml Worcestershire-Sauce
- 2 Teelöffel brauner Zucker
- 1 Esslöffel Zwiebelpulver
- 2 Teelöffel Knoblauchpulver
- 1 Esslöffel koscheres Salz
- 1/2 Teelöffel Muskatnuss
- 1 Packung Holzspieße

ANLEITUNG:

1. Überschüssiges Fett vom Truthahn entfernen.
2. Den Truthahn in 3 mm dicke Stücke schneiden (dies ist einfacher, wenn das Fleisch gefroren und ausgehärtet ist)
3. Die Zutaten für die Marinade in einer Schüssel vermengen
4. Den Truthahn über Nacht im Kühlschrank marinieren.
5. Die Putenstreifen aus der Marinade nehmen und die restliche Flüssigkeit mit einem Papiertuch abtupfen.
6. Die Putenstreifen werden auf Bambusspieße aufgefädelt, indem der Spieß durch ein Ende gesteckt wird, so dass eine segelartige Form entsteht.
7. Damit das Fleisch von Luft umströmt wird, hängen Sie die Spieße auf den Rost des Smokers.
8. Stellen Sie Ihren Smoker auf 90°C-110°C und lassen Sie den Deckel 15 Minuten lang offen.
9. 3 Stunden reichen aus, um das Dörrfleisch zäh und weich zu machen.
10. Nehmen Sie sie aus dem Räucherofen und lassen Sie das Dörrfleisch die ganze Nacht an

einem kühlen, trockenen Ort an der Luft trocknen.

11. Jerky sollte in einem Beutel oder Behälter aufbewahrt werden. Zwei bis drei Wochen haltbar.

NÄHRWERTE: Kalorien 208, Eiweiß 15g, Kohlenhydrate 22,1g, Fett 6,5g, Cholesterin 48mg, Natrium 2186mg

Süßes und scharfes Putenfleisch Jerky

Zubereitungszeit: 30 Min.

Kochzeit: 8 Stunden.

Portionen: 8

Bevorzugte Holzpellets: Aprikose oder Erle

ZUTATEN:

- 900 g Putenbrust ohne Haut
- 120 ml Sojasauce
- 60 ml Sesamöl
- 60 g brauner Zucker
- 2 Esslöffel Honig
- 1 Esslöffel Chipotle-Chili-Pulver
- 2 Esslöffel Sesamsamen
- 2 Teelöffel gemahlener Pfeffer
- 2 Esslöffel gehackter Ingwer
- 1 Esslöffel gehackter Knoblauch

ANLEITUNG:

1. Das gesamte Fett vom Fleisch entfernen.
2. Das Rindfleisch etwa eine Stunde lang im Gefrierfach versteifen, dann in 3 mm dicke Streifen schneiden
3. Knoblauch und Ingwer in 1 Esslöffel Sesamöl in einer Pfanne anbraten.
4. Die übrigen Zutaten mit Ingwer und Knoblauch vermischen.
5. Die Marinade verrühren und die Putenstreifen von beiden Seiten damit bestreichen.
6. Den Truthahn 4-6 Stunden im Kühlschrank marinieren.
7. Stellen Sie Ihren Smoker bei geschlossenem Deckel für 15 Minuten auf 90°C-110°C.
8. Um Überschneidungen zu vermeiden, legen Sie die Putenstreifen auf den Räucherrost.
9. Das Dörrfleisch 3-4 Stunden lang kochen, bis es elastisch ist, aber beim Biegen reißt".
10. Nehmen Sie das Dörrfleisch aus dem Räucherofen und lassen Sie es an einem kühlen, trockenen Ort die ganze Nacht über an der Luft trocknen.
11. Bei Raumtemperatur in einem sterilen Behälter aufbewahren. Es sollte etwa zwei Monate haltbar sein.

NÄHRWERTE: Kalorien 111, Eiweiß 13,6g, Kohlenhydrate 2,9g, Fett 4,8g, Cholesterin 48mq, Natrium 786mg.

Betrunkenes Hühnerfleisch Jerky

Zubereitungszeit: 20 Min.

Kochzeit: 3 Std.

Portionen: 6

Bevorzugte Holzpellets: Aprikose oder Erle

ZUTATEN:

- 450 g magere Hühnerbrust
- 60 ml Teriyaki-Sauce
- 60 g fest verpackter brauner Zucker
- 60 ml Sojasauce
- 120 ml Rotwein
- 60 ml Tequila
- 60 ml Bier
- 1 Esslöffel Flüssigrauch
- 1 Teelöffel Tabasco-Sauce

ANLEITUNG:

1. Überschüssiges Hühnerfett durch Abschneiden entfernen.
2. Das Huhn sollte zum Aushärten 1-2 Stunden lang eingefroren werden.
3. Das Huhn sollte in dünne Streifen geschnitten werden (etwa 3 mm breit).
4. Die Zutaten für die Marinade in einer Schüssel verrühren. Mit Salz und Pfeffer abschmecken.
5. Das Huhn sollte mariniert werden und einen ganzen Tag lang bei Raumtemperatur ruhen.
6. Die Hähnchenstreifen aus der Marinade nehmen
7. Stellen Sie Ihren Smoker bei geschlossenem Deckel für 15 Minuten auf 90°C.

8. Um Überschneidungen zu vermeiden, legen Sie die Hähnchenstreifen auf den Räucherrost.
9. Das Dörrfleisch sollte drei Stunden lang gekocht werden oder bis es sich elastisch anfühlt, aber beim Biegen "knackt".
10. Nehmen Sie das Dörrfleisch aus dem Räucherofen und lassen Sie es an einem kühlen, trockenen Ort die ganze Nacht über an der Luft trocknen.
11. Jerky sollte in einem sauberen, luftdichten Behälter aufbewahrt werden. Da Alkohol ein starkes Konservierungsmittel ist, hält sich dieses Dörrfleisch bis zu sechs Wochen.

NÄHRWERTE: Kalorien 86, Eiweiß 14,3 g, Kohlenhydrate 2,5 g, Fett 1,7 g, Cholesterin 52 mg, Natrium 1189 mg.

Smokey Chicken Jerky

Zubereitungszeit: 10 Min.

Kochzeit: 3 Std.

Portionen: 35

Bevorzugte Holzpellets: Aprikose oder Erle

ZUTATEN:

- 900 g magere Hühnerbrust
- 100 g Melasse
- 120 ml Ketchup
- 60 ml Worcestershire-Sauce
- 120 ml Flüssigrauch
- 1 Teelöffel trockener Senf
- 1 Teelöffel Zwiebelpulver
- 1/2 Teelöffel Muskatnuss

ANLEITUNG:

1. Das Hähnchen sollte in dünne Streifen von 6 mm bis 3 mm Dicke geschnitten werden. Einfacher geht es, wenn Sie das Hähnchen für ein bis zwei Stunden einfrieren.
2. Alle Zutaten bei niedriger Hitze pürieren.
3. Die Marinade umrühren, bis sie flüssig ist.
4. Die Sauce vom Herd nehmen und vollständig abkühlen lassen.
5. Die Hähnchenstreifen über Nacht in der Soßenmischung ruhen lassen.
6. Stellen Sie Ihren Smoker bei geschlossenem Deckel für 15 Minuten auf 90°C-110°C.
7. Legen Sie die Hähnchenstreifen ohne Überlappung auf den Räucherrost.
8. Die Hähnchenstreifen zusammen bei leicht geöffneter Tür garen.
9. Sofort an einem kühlen, trockenen Ort aufhängen. Achten Sie darauf, dass keine Insekten an die Hähnchenstreifen gelangen, da dies einen Gestank verursachen könnte.
10. Bewahren Sie es im Kühlschrank in einem Plastikgefäß auf. So bleibt das Dörrfleisch drei Wochen lang frisch.

NÄHRWERTE: Kalorien 57, Eiweiß 4,6 g, Fett 4,1 g, Cholesterin 16 mg, Natrium 123 mg

Geräuchertes Hirschfleisch Jerky

Zubereitungszeit: 30 Min.

Kochzeit: 4 Std.

Portionen: 64

Bevorzugte Holzpellets: Aprikose oder Erle

ZUTATEN:

- 900 g Wildbret rund
- 4 Esslöffel Worcestershire-Sauce
- 4 Esslöffel Sojasauce
- 2 Esslöffel fest verpackter brauner Zucker
- 1 Teelöffel Knoblauchpulver
- 1 Teelöffel Zwiebelpulver
- 1 Teelöffel Barbeque-Salz
- 1 Esslöffel Sriracha-Sauce
- 2 Esslöffel Flüssigrauch

ANLEITUNG:

1. Weichen Sie das Wildfleisch vorher 12 Stunden lang in Salzwasser ein, um das Blut zu entziehen. Tun Sie dies nur, wenn Sie zartes Dörrfleisch wollen.
2. Schneiden Sie das Wildbret in 3 mm dicke Streifen, indem Sie es gegen die Faser schneiden.
3. Für das Trockenreiben die trockenen Bestandteile (brauner Zucker, Knoblauchpulver, Zwiebelpulver und BBQ-Salz) miteinander vermischen.
4. Nach dem Trockenreiben der Hirschstreifen eine Stunde lang ruhen lassen.

5. Für die Marinade die flüssigen Bestandteile in einem Mixer zerkleinern.
6. Das Wildbret über Nacht in der flüssigen Marinade ziehen lassen.
7. Das Wildbret aus der Marinade nehmen.
8. Entfernen Sie die restliche Feuchtigkeit, indem Sie die Oberfläche des Rehs vorsichtig mit einem Papiertuch abtupfen.
9. Stellen Sie Ihren Smoker bei geschlossenem Deckel für 15 Minuten auf 90°C-110°C.
10. Legen Sie die Rehstreifen nicht überlappend auf den Räucherofenrost.
11. Jerky-Streifen müssen 4-5 Stunden geräuchert werden, bis sie elastisch sind, aber beim Biegen einschnappen".
12. Nehmen Sie das Dörrfleisch aus dem Räucherofen und lassen Sie es über Nacht an der Luft trocknen.
13. In luftdichten Behältern zwei bis drei Wochen aufbewahren.

NÄHRWERTE: Kalorien 65, Eiweiß 6,1 g, Kohlenhydrate 1,5 g, Fett 3,6 g, Cholesterin 17 mg, Natrium 285 mg

Schwarzer Pfeffer Hirschfleisch-Ruck y

Zubereitungszeit: 30 Min.

Kochzeit: 5 Std.

Portionen: 4

Bevorzugte Holzpellets: Aprikose oder Erle

ZUTATEN:

- 900 g Wildbret, Unterseite rund
- 250 ml Sojasauce
- 120 ml Worcestershire-Sauce
- 450 ml bernsteinfarbenes Bier
- 6 Esslöffel gebrochene schwarze Pfefferkörner
- 2 Esslöffel Salz

ANLEITUNG:

1. Entfernen Sie das überschüssige Fett vom Fleisch.
2. Das Wildbret sollte in 6 mm dicke Streifen geschnitten werden, entgegen der Faserrichtung (dies ist einfacher, wenn das Fleisch vorher im Gefrierschrank versteift wird)
3. Die Hirschstreifen werden über Nacht in einer Mischung aus Sojasauce, Worcestershire-Sauce, Ale, Salz und 3 Esslöffeln Pfefferkörnern mariniert.
4. Stellen Sie Ihren Smoker bei geschlossenem Deckel für 15 Minuten auf 90°C-110°C.
5. Die Fleischscheiben werden aus der Marinade genommen und auf den Rost des Smokers gelegt.
6. Wildbret fünf Stunden lang bei 90°C backen.
7. Aus dem Räucherofen nehmen, dann die restliche Flüssigkeit abgießen
8. Lassen Sie das Dörrfleisch über Nacht an einem kühlen und trockenen Ort aushärten.
9. In Papiertüten oder luftdichten Behältern aufbewahren. Er sollte etwa drei Wochen haltbar sein.

NÄHRWERTE: Kalorien 448, Eiweiß 26,8 g, Kohlenhydrate 33,5 g, Fett 23,2 g, Cholesterin 69 mg, Natrium 3817 mg

Whiskey Hirschfleisch Jerky

Zubereitungszeit: 15 Min.

Kochzeit: 6 Stunden.

Portionen: 4

Bevorzugte Holzpellets: Aprikose oder Erle

ZUTATEN:

- 450 g mageres Hirschsteak
- 175 ml Sojasauce
- 100 g fest verpackter brauner Zucker
- 120 ml Whiskey
- 1 Esslöffel geräucherter Paprika
- 1 Esslöffel Knoblauchpulver
- 1 Esslöffel Zwiebelpulver
- 1 Teelöffel Muskatnuss
- 1/2 Teelöffel Salz

ANLEITUNG:

1. Lassen Sie das Wildbret eine Stunde lang im Gefrierschrank aushärten.
2. Das Fleisch sollte in 6 mm Streifen geschnitten werden. Achten Sie darauf, das Fleisch gegen den Strich zu schneiden, da es durch den Whiskey sehr weich wird.

3. Whiskey und Sojasoße werden miteinander vermischt, und die Hirschstreifen werden in dieser Mischung mariniert.
4. Reiben Sie die Hirschstreifen mit den anderen Zutaten ein, nachdem Sie sie miteinander verbunden haben.
5. Stellen Sie Ihren Smoker bei geschlossenem Deckel für 15 Minuten auf 90°C-110°C.
6. Legen Sie die Wildbretstreifen nicht überlappend auf den Räucherofen.
7. Das Dörrfleisch vier Stunden lang kochen, um die gewünschte Konsistenz zu erhalten.
8. Lassen Sie das Fleisch über Nacht in einer sterilen Umgebung abkühlen.
9. Bei Zimmertemperatur in Papiertüten aufbewahren. Drei Wochen aufbewahren.

NÄHRWERTE: Kalorien 207, Eiweiß 13,4 g, Kohlenhydrate 28,5 g, Fett 4,3 g, Cholesterin 26,1 mg, Natrium 3068 mg

Hawaiianisches Fisch-Jerky

Zubereitungszeit: 15 Min.

Kochzeit: 5 Std.

Portionen: 4

Bevorzugte Holzpellets: Aprikose oder Erle

ZUTATEN:

- 900 g Fischfilets
- 120 ml Sojasauce
- 60 ml Zitronensaft
- 1 Esslöffel gehackter Ingwer
- 1 Teelöffel Knoblauch
- 1 Esslöffel brauner Zucker
- 1/2 Teelöffel Cayennepfeffer
- 1 Teelöffel Salz
- 1 Teelöffel Pfeffer

ANLEITUNG:

1. Die geputzten Fischfilets von Gräten und Haut befreien (falls noch nicht geschehen)
2. Alle Zutaten miteinander vermischen und nach Belieben weitere Gewürze hinzufügen.
3. Der Fisch sollte 6 bis 8 Stunden in den Gewürzen mariniert werden. Stellen Sie Ihren Smoker bei geschlossenem Deckel für 15 Minuten auf 90°C.
4. Fisch auf den Räucherrost legen,
5. Fisch fünf Stunden lang räuchern. Das Dörrfleisch sollte beim Biegen brechen, aber dehnbar sein.
6. Aus dem Räucherofen nehmen und über Nacht bei Raumtemperatur abkühlen lassen
7. Falls erforderlich, kann das Fisch-Jerky mit einer Küchenschere in kleinere Stücke zerteilt werden.
8. Verwenden Sie zur Aufbewahrung einen luftdichten Behälter. Das Salz in der Sojasauce verhindert, dass der Fisch verdirbt. Er sollte etwa zwei Monate lang frisch bleiben.

NÄHRWERTE: Kalorien 180, Eiweiß 26,9 g, Kohlenhydrate 5,5 g, Fett 5 g, Cholesterin 67 mg

GEMÜSE REZEPT

Fein geräucherte Russet-Kartoffeln

Zubereitungszeit: 15 Minuten

Kochzeit: 2 Stunden

Portionen: 6

Bevorzugte Holzpellets: Mesquite, Eiche

ZUTATEN:

- 8 große Russet-Kartoffeln
- 120 ml mit Knoblauch versetztes Olivenöl
- Koscheres Salz und schwarzer Pfeffer nach Geschmack

ANLEITUNG:

1. Stellen Sie die Räuchertemperatur auf 105°C und heizen Sie 10 bis 15 Minuten bei geschlossenem Deckel vor.
2. Die Kartoffeln sollten gewaschen, getrocknet und auf beiden Seiten gespalten sein.
3. Die Kartoffeln sollten reichlich gesalzen und gepfeffert werden, bevor sie mit Olivenöl mit Knoblauch beträufelt werden.
4. Die Kartoffeln auf den Räucherofen legen und den Deckel schließen.
5. Die Kartoffeln etwa zwei Stunden lang räuchern.
6. Mit dem Dressing Ihrer Wahl, heiß servieren.

NÄHRWERTE: Kalorien: 200, Kohlenhydrate: 42 g, Eiweiß: 17 g, Ballaststoffe: 7 g

Einfacher geräucherter Grünkohl

Zubereitungszeit: 10 Minuten

Kochzeit: 40 Minuten

Portionen: 4

Bevorzugte Holzpellets: Mesquite, Eiche

ZUTATEN:

- 1 mittlerer Kopf Grünkohl
- 120 ml Olivenöl
- Salz und gemahlener weißer Pfeffer nach Geschmack

ANLEITUNG:

1. Stellen Sie die Räuchertemperatur auf 120°C und lassen Sie das Gerät 10 bis 15 Minuten bei geschlossenem Deckel warmlaufen.
2. Den Grünkohl waschen und unter fließendem Wasser abspülen.
3. Schneiden Sie den Stiel ab, halbieren Sie ihn und schneiden Sie jede Hälfte in zwei bis drei Stücke.
4. Den Grünkohl großzügig mit Salz und frisch gemahlenem weißen Pfeffer würzen. Mit Olivenöl beträufeln.
5. Die Kohlstücke mit den Seiten nach oben auf ein Räuchertablett legen und abdecken.
6. Das Kraut muss auf jeder Seite 20 Minuten geräuchert werden.
7. Nehmen Sie den Kohl heraus und lassen Sie ihn fünf Minuten ruhen.
8. Sofort servieren.

NÄHRWERTE: Kalorien: 214, Kohlenhydrate: 42 g, Eiweiß: 7 g, Ballaststoffe: 7 g

Geräucherter Spargel mit Petersilie und Knoblauch

Zubereitungszeit: 10 Minuten

Kochzeit: 1 Stunde

Portionen: 3

Bevorzugte Holzpellets: Hickory oder Apfel

ZUTATEN:

- 1 Bund frischer Spargel, geputzt
- 1 Esslöffel fein gehackte Petersilie
- 1 Esslöffel gehackter Knoblauch
- 120 ml Olivenöl
- Salz und gemahlener schwarzer Pfeffer nach Geschmack

ANLEITUNG:

1. Stellen Sie die Räuchertemperatur auf 105°C und heizen Sie 10 bis 15 Minuten bei geschlossenem Deckel vor.
2. Nach dem Putzen die Enden des Spargels abschneiden.
3. Salz, Pfeffer, Olivenöl, gehackten Knoblauch und Petersilie in einer Schüssel vermischen.
4. Verwenden Sie zum Würzen des Spargels eine Mischung aus Olivenöl.
5. Die Schwerlastfolie über den Spargel klappen.
6. 55 bis 60 Minuten oder bis sie weich sind, zum Räuchern (alle 15 Minuten wenden).

7. Warm servieren.

NÄHRWERTE: Kalorien: 100, Kohlenhydrate: 42 g, Eiweiß: 20 g, Ballaststoffe: 17 g

Geräucherter Maiskolben mit pikantem Rub

Zubereitungszeit: 40 Minuten

Kochzeit: 90 Minuten

Portionen: 4

Bevorzugte Holzpellets: Hickory oder Apfel

ZUTATEN:

- 4 Ähren frischer Maiskolben
- 120 ml Macadamianussöl
- Salz und schwarzer Pfeffer
- 1/2 Teelöffel Knoblauchpulver
- 1/2 Teelöffel scharfe Paprikaflocken
- 1/2 Teelöffel getrocknete Petersilie
- 1/4 Teelöffel gemahlener Senf

ANLEITUNG:

1. Stellen Sie die Räuchertemperatur auf 180°C und heizen Sie den Ofen bei geschlossenem Deckel 10 bis 15 Minuten vor.
2. Macadamianussöl mit Knoblauchpulver, scharfen Paprikaflocken, getrockneter Petersilie und gemahlenem Senf vermischen.
3. Reiben Sie den Mais mit der Macadamianussölmischung ein und legen Sie ihn auf einen Grillrost.
4. Mais 80 bis 90 Minuten lang räuchern.
5. Heiß servieren.

NÄHRWERTE: Kalorien: 214, Kalfett: 2 g, Kohlenhydrate: 42 g, Eiweiß: 7 g, Ballaststoffe: 7 g

Geräucherte Süßkürbisse

Zubereitungszeit: 10 Minuten

Kochzeit: 2 Stunden

Portionen: 6

Bevorzugte Holzpellets: Hickory oder Apfel

ZUTATEN:

- 4 kleine Tortenkürbisse
- Avocadoöl nach Geschmack

ANLEITUNG:

1. Stellen Sie die Räuchertemperatur auf 180°C und heizen Sie den Ofen bei geschlossenem Deckel 10 bis 15 Minuten vor.
2. Kürbisse längs halbieren und mit Avocadoöl beträufeln.
3. Die Kürbishälften mit der Schnittseite nach oben auf den Smoker legen.
4. Kürbisse 1 1/2 bis 2 Stunden räuchern.
5. Kürbisse aus dem Räucherofen nehmen und abkühlen lassen.
6. Nach Geschmack servieren.

NÄHRWERTE: Kalorien: 120, Kohlenhydrate: 50 g, Eiweiß: 7 g, Ballaststoffe: 7 g

Räuchergemüse-Potpourri

Zubereitungszeit: 15 Minuten

Kochzeit: 45 Minuten

Portionen: 6

Bevorzugte Holzpellets: Hickory oder Apfel

ZUTATEN:

- 2 große Zucchinis in Scheiben geschnitten
- 2 rote Paprikaschoten in Scheiben geschnitten
- 2 Russet-Kartoffeln in Scheiben geschnitten
- 1 rote Zwiebel in Scheiben geschnitten
- 120 ml Olivenöl
- Salz und gemahlener schwarzer Pfeffer nach Geschmack

ANLEITUNG:

1. Stellen Sie die Räuchertemperatur auf 180°C und heizen Sie den Ofen bei geschlossenem Deckel 10 bis 15 Minuten vor.

2. In der Zwischenzeit alle Gemüsesorten abspülen, in Scheiben schneiden und auf Küchenpapier trocken tupfen.
3. Großzügig mit Salz und Pfeffer würzen und mit Olivenöl beträufeln.
4. Legen Sie das geschnittene Gemüse in einen Grillkorb oder auf einen Grillrost und räuchern Sie es 40 bis 45 Minuten lang.
5. Heiß servieren.

NÄHRWERTE: Kalorien: 300, Kohlenhydrate: 42 g, Eiweiß: 13 g, Ballaststoffe: 12 g

Süße geräucherte Bohnen

Zubereitungszeit: 15 Minuten

Kochzeit: 45 Minuten

Portionen: 10

Bevorzugte Holzpellets: Hartholz Apfel

ZUTATEN:

- 450 g Getrocknete weiße Bohnen

Der Rub

- 240 g gehackte Zwiebel
- 180 g brauner Zucker
- 60 ml Rotweinessig
- 60 ml Melasse
- 1 Esslöffel Senf
- 1 Esslöffel Knoblauchpulver
- 1/2 Teelöffel Salz
- 700 ml Wasser

ANLEITUNG:

1. Stellen Sie vor dem Räuchern die Temperatur des Räucherofens auf 180°C ein.
2. Geben Sie die Bohnen in ein Glas und bedecken Sie sie mit Wasser.
3. Die Marinebohnen müssen zunächst gewaschen und gespült werden, nachdem sie über Nacht eingeweicht wurden.
4. In einer Schüssel die Bohnen mit den gehackten Zwiebeln, Salz, Senf, Knoblauchpulver, Rotweinessig und braunem Zucker vermischen. Durch Schwenken kombinieren.
5. Verteilen Sie die Bohnen gleichmäßig, nachdem Sie sie in eine Einweg-Aluminiumpfanne gegeben haben. Wasser über die Bohnen gießen.
6. Wählen Sie am Holzpellet-Räucherofen die Option "Räuchern", nachdem Sie eingeweichte Apfelholzspäne in den Trichter gegeben haben. Lassen Sie den Deckel offen.
7. Stellen Sie die Aluminiumpfanne auf den unteren Rost des Holzpellet-Rauchers und räuchern Sie die Bohnen.
8. Servieren Sie die geräucherten Bohnen, nachdem Sie sie auf eine Servierplatte gelegt haben.
9. Viel Spaß!

NÄHRWERTE: Kalorien: 140, Fett: 0,3g, Kohlenhydrate: 35g, Eiweiß: 3g

Geräucherter Apfel-Zimt

Zubereitungszeit: 15 Minuten

Kochzeit: 2 Stunden

Portionen: 10

Bevorzugte Holzpellets: Hartholz Apfel

ZUTATEN:

- 2,2 kg goldene Äpfel

Der Rub

- 60 ml Zitronensaft
- 2 Teelöffel Zitronenschale
- 60 g Zimt
- 600 g Zucker

ANLEITUNG:

1. Vor dem Räuchern den Räucherofen auf 180°C vorheizen.
2. Die Äpfel halbieren, entkernen und entsorgen.
3. Saft, Schale und Zucker sollten gut vermischt sein.
4. Die Mischung wird auf die Äpfel aufgetragen und etwa zwei Stunden lang mariniert oder bis die Zuckermischung flüssig wird.
5. Wählen Sie im Holzpellet-Räucherofen die Option "Räuchern" und geben Sie dann Apfelholzspäne in den Trichter. Bevor Sie die Holzspäne verwenden, müssen Sie sie einweichen.

6. Die Äpfel werden auf dem Gestell des Räucherofens angeordnet und zwei Stunden lang geräuchert, bis sie weich und gebräunt sind.
7. Aus dem Räucherofen nehmen und auf einer Servierplatte anrichten.
8. Nach dem Servieren genießen.

NÄHRWERTE: Kalorien: 100, Fett: 5g, Eiweiß: 7g

Geräucherte Champignons

Zubereitungszeit: 20 Minuten

Kochzeit: 2 Stunden

Portionen: 4/6

Bevorzugte Holzpellets: Hickory oder Apfel

ZUTATEN:

- 6-12 große Portobello-Pilze
- Meersalz
- Schwarzer Pfeffer
- Natives Olivenöl extra
- Kräuter der Provence

ANLEITUNG:

1. Füllen Sie die Räucherschale und das Blech mit Wasser und Holzspänen und heizen Sie den Räucherofen auf 95°C vor.
2. Die Champignons säubern und trocknen.
3. In einer Schüssel die Champignons mit Olivenöl, Salz, Pfeffer und frischen Kräutern würzen.
4. Die Pilze mit der Kappe nach oben auf das Räuchergestell legen. Jede Stunde Wasser und Holzspäne in den Räucherschrank geben und die Pilze zwei Stunden lang räuchern.

NÄHRWERTE: Kalorien: 106, Fett: 6 g, Kohlenhydrate: 5 g, Eiweiß: 8 g, Ballaststoffe: 0,9 g

Geräucherte und zerstampfte neue Kartoffeln

Zubereitungszeit: 5 Minuten

Kochzeit: 60 Minuten

Portionen: 4/6

Bevorzugte Holzpellets: Hickory oder Apfel

ZUTATEN:

- 680 g kleine neue rote Kartoffeln oder Fingerlinge
- Natives Olivenöl extra
- Meersalz und schwarzer Pfeffer
- 2 Esslöffel weiche Butter

ANLEITUNG:

1. Die Kartoffeln trocknen lassen. Nach dem Trocknen in eine Pfanne geben und mit Salz, Pfeffer und nativem Olivenöl extra bestreichen.
2. Die Kartoffeln auf den obersten Rost des Räucherofens legen.
3. 60 Minuten lang räuchern.
4. Sobald sie fertig sind, nehmen Sie sie heraus und zerschlagen sie.
5. Mit Butter mischen und würzen

NÄHRWERTE: Kalorien: 258, Kohlenhydrate: 15,5 g, Eiweiß: 4,1 g, Ballaststoffe: 1,5 g

Knoblauch-Kräuter-Rauchkartoffeln

Zubereitungszeit: 5 Minuten

Kochzeit: 2 Stunden

Portionen: 4/6

Bevorzugte Holzpellets: Mesquite, Eiche

ZUTATEN:

- 450 g Edelsteinkartoffeln
- 60 ml Parmesan, frisch gerieben
- Für die Marinade
- 2 Esslöffel Olivenöl
- 6 Knoblauchzehen, frisch gehackt
- 1/2 Teelöffel getrockneter Oregano
- 1/2 Teelöffel getrocknetes Basilikum
- 1/2 Teelöffel getrockneter Dill
- 1/2 Teelöffel Salz
- 1/2 Teelöffel getrocknetes italienisches Gewürz
- 1/4 Teelöffel gemahlener Pfeffer

ANLEITUNG:

1. Den Smoker auf 105°C vorheizen.
2. Nach dem gründlichen Waschen die Kartoffeln in einen Plastikbeutel geben, der verschlossen werden kann.
3. Knoblauchzehen, Basilikum, Salz, italienische Gewürze, Dill, Oregano und Olivenöl in den Zip-Lock-Beutel geben. Schütteln.
4. Anschließend die beschichteten Kartoffeln und 2 Esslöffel Wasser in eine Alufolie geben. Legen Sie die Kartoffeln in den vorbereiteten Räucherofen, nachdem Sie die Folie gefaltet haben, um sie zu versiegeln.
5. 2 Stunden Rauchen
6. Die Kartoffeln nach dem Entfernen der Folie in eine Schüssel geben.
7. Vor dem Servieren geriebenen Parmesankäse hinzufügen.

NÄHRWERTE: Kalorien: 146, Kohlenhydrate: 19 g, Eiweiß: 4 g, Ballaststoffe: 2,1 g

Perfekt geräucherte Artischockenherzen

Zubereitungszeit: 10 Minuten

Kochzeit: 2 Stunden

Portionen: 6

Bevorzugte Holzpellets: Mesquite, Eiche

ZUTATEN:

- 12 ganze Artischockenherzen aus der Dose
- 60 ml Olivenöl
- 4 gehackte Knoblauchzehen
- 2 Esslöffel frische Petersilie, fein gehackt (Blätter)
- 1 Esslöffel frisch gepresster Zitronensaft
- Salz nach Geschmack
- Zitrone zum Garnieren

ANLEITUNG:

1. Stellen Sie die Räuchertemperatur auf 180°C und heizen Sie den Ofen bei geschlossenem Deckel 10 bis 15 Minuten vor.
2. Alle Zutaten über die Artischocken geben und umrühren.
3. Artischocken auf einen Grillrost legen und etwa 2 Stunden lang räuchern.
4. Heiß mit extra Olivenöl und Zitronenhälften servieren.

NÄHRWERTE: Kalorien: 214, Kohlenhydrate: 42 g, Eiweiß: 7 g, Ballaststoffe: 7 g

Geräucherter Eichelkürbis

Zubereitungszeit: 15 Minuten

Kochzeit: 90 Minuten bis 2 Stunden

Portionen: 6-8

Bevorzugte Holzpellets: Hickory oder Apfel

ZUTATEN

- 3 Eichelkürbisse, entkernt und halbiert
- 3 Esslöffel Olivenöl
- 60 ml Butter, ungesalzen
- 1 Esslöffel Zimt, gemahlen
- 1 Esslöffel Chilipulver
- 1 Esslöffel Muskatnuss, gemahlen
- 60 ml brauner Zucker

ANLEITUNG:

1. Die Schnittflächen des Kürbisses mit Olivenöl bestreichen und mit Folie abdecken, in die Löcher gestochen werden, damit Rauch und Dampf entweichen können.
2. Heizen Sie Ihren Smoker auf 105°C vor.
3. Die Kürbishälften mit der Schnittseite nach unten auf den Grill legen und dann etwa 90/120 Minuten räuchern. Aus dem Räucherofen nehmen.
4. Lassen Sie ihn stehen, während Sie die Gewürzbutter zubereiten. Butter in einem Topf schmelzen, dann Gewürze und Zucker hinzufügen und verrühren.
5. Die Folie von den Kürbishälften entfernen.
6. Auf jede Hälfte 1 Esslöffel der Buttermischung geben.
7. Servieren und genießen!

NÄHRWERTE: Kalorien 149, Gesamtfett 10g, gesättigtes Fett 5g, Eiweiß 2g

Einfacher geräucherter Grünkohlblätter

Zubereitungszeit: 10 Minuten

Kochzeit: 40 Minuten

Portionen: 4

Bevorzugte Holzpellets: Mesquite, Eiche

ZUTATEN:

- 1 mittlerer Kopf Grünkohl
- 120 ml Olivenöl
- Salz und gemahlener weißer Pfeffer nach Geschmack

ANLEITUNG:

9. Stellen Sie die Räuchertemperatur auf 120°C und lassen Sie das Gerät 10 bis 15 Minuten bei geschlossenem Deckel warmlaufen.
10. Der Kohl sollte gewaschen und unter fließendem Wasser abgespült werden.
11. Schneiden Sie den Stiel ab, halbieren Sie ihn und schneiden Sie jede Hälfte in zwei bis drei Stücke.
12. Das Kraut großzügig mit Salz und frisch gemahlenem weißen Pfeffer würzen. Mit Olivenöl beträufeln.
13. Die Kohlstücke mit den Seiten nach oben auf ein Räuchertablett legen und abdecken.
14. Das Kraut muss auf jeder Seite 20 Minuten geräuchert werden.
15. Nehmen Sie den Kohl heraus und lassen Sie ihn fünf Minuten ruhen.
16. Sofort servieren.

NÄHRWERTE: Kalorien: 214, Kohlenhydrate: 42 g, Eiweiß: 7 g, Ballaststoffe: 7 g

Geräucherter Rosenkohlsprossen

Zubereitungszeit: 15 Minuten

Kochzeit: 45 Minuten

Portionen: 4/6

Bevorzugte Holzpellets: Hickory oder Apfel

ZUTATEN:

- 700 g Rosenkohl
- 2 gehackte Knoblauchzehen
- 2 Esslöffel natives Olivenöl extra
- Meersalz und gemahlener schwarzer Pfeffer

ANLEITUNG:

1. Alle Sprossen ausspülen
2. Entfernen Sie die äußeren Blätter und auch die braunen Böden
3. Sprossen in eine große Schüssel geben und mit Olivenöl einreiben.
4. Fügen Sie eine Schicht Knoblauch, Salz und Pfeffer hinzu und geben Sie sie dann in die Pfanne.
5. Legen Sie sie auf den Rost des Räucherofens und fügen Sie etwas Wasser und Holzspäne hinzu.
6. 45 Minuten räuchern oder bis die Temperatur von 120°C erreicht ist.
7. Servieren Sie

NÄHRWERTE: Kalorien: 84, Kohlenhydrate: 7,2 g, Eiweiß: 2,6 g, Ballaststoffe: 2,9 g

Räuchertofu

Zubereitungszeit: 10 Minuten

Kochzeit: 45 Minuten

Portionen: 4/6

Bevorzugte Holzpellets: Mesquite, Eiche

ZUTATEN:

- 400 g normalen Tofu
- Sesamöl

ANLEITUNG:

1. Heizen Sie den Räucherofen auf etwa 105°C vor und geben Sie Holzspäne und Wasser hinzu.
2. Bis dahin den Tofu aus der Packung nehmen und dann ruhen lassen
3. Den Tofu in einen Zentimeter dicke Stücke schneiden und mit Sesamöl bestreichen.
4. Den Tofu 45 Minuten lang in den Räucherofen legen und nach einer Stunde Wasser und Holzspäne hinzufügen.
5. Sobald sie gar sind, herausnehmen und servieren!

NÄHRWERTE: Kalorien: 201, Kohlenhydrate: 1 g, Eiweiß: 20 g, Ballaststoffe: 0 g

Einfaches Räuchergemüse

Zubereitungszeit: 15 Minuten

Kochzeit: 30 Minuten

Portionen: 4/6

Bevorzugte Holzpellets: Pekannuss

ZUTATEN:

- 1 frische Maisähre, Seidenstränge und Schalen entfernt, Mais in 2.5 cm-Stücke geschnitten
- 1 mittelgroßer gelber Kürbis, in 1.25 cm-Scheiben geschnitten
- 1 kleine rote Zwiebel, in dünne Spalten geschnitten
- 1 kleine grüne Paprikaschote, 2.5 cm-Streifen
- 1 kleine rote Paprikaschote, 2.5 cm-Streifen
- 1 kleine gelbe Paprikaschote, 2.5 cm-Streifen
- 240 ml Champignons, halbiert
- 2 Esslöffel Pflanzenöl
- Gemüsegewürze

ANLEITUNG:

1. Nehmen Sie eine große Schüssel und mischen Sie das gesamte Gemüse darin. Mit Gemüsegewürzen würzen, dann das Gemüse gründlich bedecken.
2. In den Räucherofen einige Holzspäne und eine Schüssel mit Wasser geben.
3. Den Grill auf 180°C vorheizen.
4. Das Gemüse in einer Pfanne auf den mittleren Rost des Smokers legen.
5. 30 Minuten Räuchern sind erforderlich, damit das Gemüse zart wird.
6. Nach der Zubereitung servieren und abbeißen.

NÄHRWERTE: Kalorien: 97, Kohlenhydrate: 11 g, Eiweiß: 2 g, Ballaststoffe: 3 g

Geräucherte Shiitake-Pilze

Zubereitungszeit: 15 Minuten

Kochzeit: 45 Minuten

Portionen: 4-6

Bevorzugte Holzpellets: Mesquite, Eiche

ZUTATEN:

- 950 ml Shiitake-Pilze
- 1 Esslöffel Rapsöl
- 1 Teelöffel Zwiebelpulver
- 1 Teelöffel granulierter Knoblauch
- 1 Teelöffel Salz
- 1 Teelöffel Pfeffer

ANLEITUNG:

1. In einer kleinen Schüssel Rapsöl, Zwiebelpulver, granulierten Knoblauch, Salz und Pfeffer mischen.
2. Die Pilze mit der Gewürzmischung gleichmäßig einreiben.
3. Den Smoker auf 100°C vorheizen. Einige Holzspäne und eine halbe Wasserschale in die Seitenablage geben.
4. Legen Sie es in den Smoker und räuchern Sie es dann 45 Minuten lang.
5. Warm servieren.

NÄHRWERTE: Kalorien: 301, Kohlenhydrate: 47,8 g, Eiweiß: 7,1 g, Ballaststoffe: 4,8 g

Geräucherte Kirschtomaten

Zubereitungszeit: 20 Minuten

Kochzeit: 90 Minuten

Portionen: 4/6

Bevorzugte Holzpellets: Hickory oder Apfel

ZUTATEN:

6. 1 kg. Kirschtomaten

ANLEITUNG:

1. Heizen Sie Ihren Smoker auf 105°C vor und geben Sie Chips und Wasser in den Smoker.
2. Reinigen Sie die Tomaten mit Wasser und trocknen Sie sie anschließend gut ab.
3. Die Tomaten auf die Pfanne legen und die Pfanne dann in den Smoker stellen.
4. 90 Minuten lang räuchern, dabei Wasser und Holzspäne in den Räucherofen geben.

NÄHRWERTE: Kalorien: 16, Kohlenhydrate: 3 g, Eiweiß: 1 g, Ballaststoffe: 1 g

Geräucherte Wassermelone

Zubereitungszeit: 15 Minuten

Kochzeit: 50 Minuten

Portionen: 4/6

Bevorzugte Holzpellets: Hickory oder Apfel

ZUTATEN:

- 1 kleine Wassermelone ohne Kerne
- 60 ml Balsamico-Essig
- Spieße aus Holz

ANLEITUNG:

1. Die Enden kleiner kernloser Wassermelonen in Scheiben schneiden
2. Schneiden Sie die Wassermelone in 2.5 cm-Würfel. Die Würfel in ein Gefäß geben und die Wassermelonenwürfel mit Essig beträufeln.
3. Den Smoker auf 105°C vorheizen.
4. Die Würfel mit etwas Abstand auf die Spieße stecken.
5. Legen Sie die Spieße für etwa 50 Minuten auf das Räuchergestell.
6. Die Spieße herausnehmen und servieren!

NÄHRWERTE: Kalorien: 20, Kohlenhydrate: 4 g, Eiweiß: 1 g, Ballaststoffe: 0,2 g

Schlussfolgerung

Liebe Leserinnen und Leser, unsere Reise zur Entdeckung des Grills und des Smokers ist beendet.

Vielen Dank, dass Sie zum Ende unserer "Plauderei" über eine Welt gekommen sind, die so faszinierend und abwechslungsreich ist wie das Grillen. In diesem Leitfaden haben Sie erfahren, wie ein Pelletgrill funktioniert und zahlreiche Tipps zum Kochen, Schneiden und Reinigen erhalten. Außerdem haben Sie Hunderte von leckeren Rezepten kennengelernt.

Ich hoffe, Sie haben neue Dinge über die Welt des Grillens entdeckt und die Tipps und Taktiken, die in diesem Buch verstreut sind, haben Ihnen gefallen.

Wenn Ihnen dieser Leitfaden gefallen hat, hinterlassen Sie bitte eine ehrliche Bewertung auf amazon, damit andere Leser eine fundiertere Entscheidung treffen können.

Recipe Index

H

J

K

L